崇文馆
家庭典藏

崇文国学经典普及文库

忍经 劝忍百箴

（元）许名奎　吴亮◎著
陈谦◎注译

长江出版传媒
崇文书局

忍经·劝忍百箴

图书在版编目（CIP）数据

忍经·劝忍百箴 /（元）许名奎，（元）吴亮著；陈谦注译.
—武汉 ：崇文书局，2017.1
（崇文国学经典普及文库）
ISBN 978-7-5403-4245-6
Ⅰ. ①忍…
Ⅱ. ①许… ②吴… ③陈…
Ⅲ. ①个人－道德修养－中国－古代②《忍经》－译文③《劝忍百箴》－译文
Ⅳ. ①B825
中国版本图书馆 CIP 数据核字（2016）第 253963 号

出 品 人　潘启胜

统　　筹　陈中琼
责任编辑　程可嘉

出版发行　长江出版传媒 | 崇文书局
地　　址　武汉市雄楚大街 268 号 C 座 11 层
电　　话　(027)87293001　邮政编码　430070

印　　刷　湖北恒泰印务有限公司
开　　本　889×1194　1/32
印　　张　7.25
字　　数　160 千字
版　　次　2017 年 1 月第 1 版
印　　次　2017 年 1 月第 1 次印刷
定　　价　25.80 元
（如发现印装质量问题，影响阅读，请与承印厂调换）

总序

现代意义的“国学”概念，是在19世纪西学东渐的背景下，为了保存和弘扬中国优秀传统文化而提出来的。1935年，王缁尘在世界书局出版了《国学讲话》一书，第3页有这样一段说明：“庚子义和团一役以后，西洋势力益膨胀于中国，士人之研究西学者日益众，翻译西书者亦日益多，而哲学、伦理、政治诸说，皆异于旧有之学术。于是概称此种书籍曰‘新学’，而称固有之学术曰‘旧学’矣。另一方面，不屑以旧学之名称我固有之学术，于是有发行杂志，名之曰《国粹学报》，以与西来之学术相抗。‘国粹’之名随之而起。继则有识之士，以为中国固有之学术，未必尽为精粹也，于是将‘保存国粹’之称，改为‘整理国故’，研究此项学术者称为‘国故学’……”从“旧学”到“国故学”，再到“国学”，名称的改变意味着褒贬的不同，反映出身处内忧外患之中的近代诸多有识之士对中国优秀传统文化失落的忧思和希望民族振兴的宏大志愿。

从学术的角度看，国学的文献载体是经、史、子、集。崇文书局的这一套国学经典普及文库，就是从传统的经、史、子、集中精选出来的。属于经部的，如《诗经》《论语》《孟子》《周易》《大学》《中庸》；属于史部的，如《左传》《战国策》《史记》《三国志》《贞观政要》《资治通鉴》；属于子部的，如《道德经》《庄子》《孙子兵法》《鬼谷子》《世说新语》《颜氏家训》《容斋随笔》《本草纲目》《阅微草堂笔记》；属于集部的，如《楚辞》《唐诗三百首》《豪放词》《婉约词》《宋词三百首》《千家诗》《元曲三百首》《围炉夜话》《随园诗话》。这套书内容丰富，而分量适中。一个希望对中国优秀传统文化有所了解的人，读了这些书，一般说来，犯常识性错误的可能性就很小了。

崇文书局之所以出版这套国学经典普及文库，不只是为了普及国学常识，更重要的目的是，希望有助于国民素质的提高。在国学教育中，有一种倾向需要警惕，即把中国优秀的传统文化"博物馆化"。"博物馆化"是20世纪中叶美国学者列文森在《儒教中国及其现代命运》中提出的一个术语。列文森认为，中国传统文化在很多方面已经被博物馆化了。虽然中国传统的经典依然有人阅读，但这已不属于他们了。"不属于他们"的意思是说，这些东西没有生命力，在社会上没有起到提升我们生活品格的作用。很多人阅读古代经典，就像参观埃及文物一样。考古发掘出来的珍贵文物，和我们的生命没有多大的关系，和我们的生活没有多大关系，这就叫作博物馆化。"博物馆化"的国学经典是没有现实生命力的。要让国学经典恢复生命力，有效的方法是使之成为生活的一部分。崇文书局之所以强调普及，深意在此，期待读者在阅读这些经典时，努力用经典来指导自己的内外生活，努力做一个有高尚的人格境界的人。

国学经典的普及，既是当下国民教育的需要，也是中华民族健康发展的需要。章太炎曾指出，了解本民族文化的过程就是一个接受爱国主义教育的过程："仆以为民族主义如稼穑然，要以史籍所载人物制度、地理风俗之类为之灌溉，则蔚然以兴矣。不然，徒知主义之可贵，而不知民族之可爱，吾恐其渐就萎黄也。"(《答铁铮》)优秀的传统文化中，那些与维护民族的生存、发展和社会进步密切相关的思想、感情，构成了一个民族的核心价值观。我们经常表彰"中国的脊梁"，一个毋庸置疑的事实是，近代以前，"中国的脊梁"都是在传统的国学经典的熏陶下成长起来的。所以，读崇文书局的这一套国学经典普及读本，虽然不必正襟危坐，也不必总是花大块的时间，更不必像备考那样一字一句锱铢必较，但保持一种敬重的心态是完全必要的。

期待读者诸君喜欢这套书，期待读者诸君与这套书成为形影相随的朋友。

陈文新

（教育部长江学者特聘教授，武汉大学杰出教授）

前言

《忍经》《劝忍百箴》分别为元朝学者许名奎、吴亮所著。他们博学多闻、识见甚广，尤善修身养性，并将平生的人生经验和感悟，总结为一个“忍”字，赋予“忍”以极高的精神境界。在他们看来，人生在世，所业不同，但都离不开“忍”。居家要忍，处世要忍，为人要忍，做官要忍。“忍”是人生福祸的关键，也是事业成败的重要因素。于是他们将古籍中有关“忍”的格言和史例予以搜集、归纳，集成《忍经》《劝忍百箴》。

《书》云：“有容德乃大。”《易》云：“君子以惩忿窒欲。”老子说：“知其雄，守其雌；知其白，守其黑。”孔子说：“小不忍则乱大谋。”俗话讲：“忍一时风平浪静，退一步海阔天空。”韩信忍胯下之耻，张良受圯下之辱；娄师德唾面自干，傅尧俞容物不校，这是忍。戒酒色财气，忍富贵贫贱，去贪躁骄奢，求仁义礼信，无不须要忍。

“忍”是我国儒家思想的精髓之一。通观我国历史，凡是显身扬名、流传千古的仁人志士、英豪俊杰，无不能以忍辱来求荣，以委曲来求伸。人生在世、草木一秋，却往往生死相邻、利害相近、福祸相随、成败相生，能不学会“忍”吗？谋求生存要忍，成就事业要忍，救时济世要忍。

“忍”是一种涵养，是一种气度，是一种胸怀，是一种力量。“忍”讲的是仁义，求的是平和，靠的是策略，体现的是智慧。故能忍者是圣人、仁人，是义士、达士，是智者、勇者。

“忍者神龟。”“忍”是一种值得提倡的精神，但“忍”过了头就会变成缩头乌龟。我们现在讲“忍”是有理有节的，是有所为而有所不为的。如果不讲原则、不求公理，一味含垢忍辱、苟且无耻，那绝对有违“忍”之真精神。

《忍经》的编译依原文的次序以直译为主；《劝忍百箴》的编译对原文次序有所变动，在直译的基础上做了必要的修饰。如有不妥之处，敬请读者批评指正。

忍经

目录

劝忍百箴

笑谄淫侈之忍

目录

目录

忍经

【原文】

《易·损卦》云:"君子以惩忿窒欲。"

【译文】

《易经·损卦》上说:"君子要抑制愤怒,控制情欲。"

【原文】

《书》周公诫周王曰:"小人怨汝詈汝,则皇自敬德。"又曰:"不啻不敢含怒。"又曰:"宽绰厥心。"

【译文】

《尚书》载周公告诫周成王的话,说:"如果小人怨你、骂你,那你自己就应当加强修养,不要和他们计较。"又说:"不只是不敢发怒。"又说:"要放宽自己的心胸。"

【原文】

成王告君陈曰:"必有忍,其乃有济;有容,德乃大。"

【译文】

周成王告诫君陈说:"必须有忍性,所做的事情才能成功;必须有度量,道德才能高尚。"

【原文】

《左传·宣公十五年》:"谚曰:'高下在心,川泽纳污,山薮藏疾,瑾瑜匿瑕,国君含垢,天之道也。'"

【译文】

《左传·宣公十五年》记载："谚语说：'崇高和卑下放在心中，江河和沼泽容纳着污秽，丛山和湖泊隐藏着疾患，美玉含有瑕疵，国君忍受一些耻辱，这是自然的道理。'"

【原文】

《昭公元年》："鲁以相忍为国也。"

【译文】

《左传·昭公元年》记载："鲁国以相互忍让的方式来治理国家。"

【原文】

《哀公二十七年》："知伯入南里门，谓赵孟入之。对曰：'主在此。'知伯曰：'恶而无勇，何

以为子尔？'对曰：'以能忍。耻庶无害赵宗乎？'"

【译文】

《左传·哀公二十七年》记载："知伯进入南里门，叫赵孟也进来。赵孟回答说：'君主在这里。'知伯说：'你不勇敢，别人怎么会尊敬你呢？'赵孟回答说：'因为我能够忍耐。耻笑对我赵孟有什么伤害呢？'"

【原文】

楚庄王伐郑，郑伯肉袒牵羊以迎。庄王曰："其君能下人，必能信用其民矣。"

【译文】

楚庄王攻打郑国，郑国君王袒露着肩膀牵着羊来迎接楚国的军队。楚庄王说："郑国的君王能够把自己放在他人之下，也一定能对郑国的老百姓讲信用。"

【原文】

《左传》："一惭不忍，而终身惭乎？"

【译文】

《左传》："不愿忍受一次羞辱，而愿意让自己惭愧一辈子吗？"

【原文】

《论语》孔子曰："小不忍，则乱大谋。"

【译文】

《论语》中载孔子的话说："小的事情不能忍让，就会破坏大的计划。"

【原文】

又曰："一朝之忿，忘其身以及其亲，非惑欤？"

【译文】

孔子又说："忍不住一时的气愤，忘记了自己的生命安危，甚至牵连到自己的亲人，这不是糊涂吗？"

【原文】

又曰："君子无所争。"

【译文】

孔子又说："君子没有什么可争的事情。"

【原文】

又曰："君子矜而不争。"

【译文】

孔子又说："君子庄重自守，从不与人相争。"

【原文】

颜子犯而不校。

【译文】

颜回纵然被人冒犯，也不和人计较。

【原文】

戒子路曰："齿刚则折，舌柔则存。柔必胜刚，弱必胜强。好斗必伤，好勇必亡。百行之本，忍之为上。”

【译文】

孔子告诫子路说：“牙齿刚硬而容易折断，舌头柔软而得以保存。柔软的最终会战胜刚硬的，弱小的最终会战胜强大的。好斗的人必定会受到伤害，好勇的人必定会导致灭亡。各种行为的根本，以忍让最为重要。”

【原文】

《老子》曰：“知其雄，守其雌；知其白，守其黑。”

【译文】

《老子》说：“知道是雄性的，就用雌性的去对付；知道是白色的，就用黑色的去对付。”

【原文】

又曰：“大直若屈，大智若拙，大辩若讷。”

【译文】

《老子》又说：“最直的东西，看起来像是弯曲的；最聪明的人，看起来像是笨拙的；最善于辩论的人，看起来像是木讷的。”

【原文】

又曰：“上善若水，水善利万物而不争。”

【译文】

《老子》又说：“至高的品德像水一样，能有利于万物而不与物相争。”

【原文】

又曰："天道不争而善胜，不言而善应。"

【译文】

《老子》又说："符合自然规律的事物，虽然不与他物相争，却能取胜；虽然不说话，却善于应答。"

【原文】

荀子曰："伤人之言，深于矛戟。"

【译文】

荀子说："伤害他人的言语，比用矛戟刺入人体还要厉害。"

【原文】

蔺相如曰："两虎共斗，势不俱生。"

【译文】

蔺相如说："两只老虎争斗，势必不能都保存性命。"

【原文】

晋卫玠尝云："人有不及，可以情恕。"

【译文】

晋代的卫玠曾经说："别人有做得不好的地方，可以从情理上宽恕他。"

【原文】

又曰："非意相干，可以理谴，终身无喜愠之色。"

【译文】

卫玠又说："只要他人不是有意冒犯，就可以用道理来折服。一生要保持温和，不要喜怒形之于色。"

细过掩匿

【原文】

曹参为国相，舍后园近吏舍。日夜饮呼，吏患之，引参游园，幸国相召，按之。乃反，独帐坐饮，亦歌呼相应。见人细过，则掩匿盖覆。

【译文】

曹参任丞相时，他家的后园靠近小吏们的住所。小吏们日夜喝酒吵闹，主管的官员的很担心曹参恼怒，就领着曹参游览后园，希望国相能召见他们，追究他们的罪责。曹参回来后，独自坐在帐中饮酒，也和小吏们唱歌呼应。曹参看见别人有小的过失，就替他们掩饰。

醉饱之过，不过吐呕

【原文】

丙吉为相，驭吏频醉，西曹诘罪之。吉曰："以醉饱之过斥人，欲令安归乎？不过吐呕丞相车茵，西曹第忍之。"

【译文】

丙吉任丞相时，他的车夫常常喝醉，西曹准备处罚他。丙吉说："因为喝醉酒这样的小错而斥退他，让人家到哪里去容身呢？不过是呕吐弄脏了丞相的车垫罢了，西曹你就忍住，不要责怪他了。"

圯上取履

【原文】

张良亡匿，尝从容游下邳。圯上有一老父，衣褐，至良所，直坠其履圯上，顾谓良曰："孺子，下取履。"良愕然，强忍，下取履，因跪进。父以足受之，曰："孺子可教矣。"

【译文】

张良逃亡时曾在下邳从容地游玩。桥上有一位老人，穿着粗布衣服，走到张良面前，故意将鞋扔到桥下，回过头对张良说："小伙子，下去把鞋捡上来。"张良感到很惊愕，强忍着怒气，下桥捡鞋，跪着送给老人。老人把脚伸出来穿上鞋，说："孺子可教啊。"

出胯下

【原文】

韩信好带长剑，市中有一少年辱之，曰："君带长剑，能杀人乎？若能杀人，可杀我也；若不能杀人，从我胯下过。"韩信遂屈身，从胯下过。汉高祖任为大将军，信召市中少年，语之曰："汝昔年欺我，今日可欺我乎？"少年乞命。信免其罪，与其一校官也。

【译文】

韩信喜欢身佩长剑，集市上有一位少年侮辱韩信，说："你身佩长剑，但你敢杀人吗？如果你敢杀人，可以把我杀了；如果你不敢杀我，那就请你从我的两腿之间钻过去。"韩信于是弯着身子，从少年的两腿之间钻过去。后来，汉高祖刘邦任命韩信为大将军，韩信将曾经侮辱过自己的那个少年召到跟前，对他说："你过去曾欺侮我，现在还可以欺侮我吗？"那人求韩信饶命。韩信赦免了他的罪过，让他当了一名校官。

尿寒灰

【原文】

韩安国为梁内史，坐法在狱中，被狱吏田

甲辱之。安国曰："寒灰亦有燃否？"田甲曰："寒灰倘燃，我即尿其上。"于后，安国得释放，任梁州刺史，田甲惊走。安国曰："若走，九族诛之；若不走，赦其罪。"田甲遂见安国。安国曰："寒灰今日燃，汝何不尿其上？"田甲惶惧，安国赦其罪，又与田甲亭尉之官。

【译文】

韩安国担任梁国内史时，因犯法被关进了监狱。狱中小吏田甲侮辱他。韩安国问田甲道："你可知冷却的灰也能重新燃烧起来吗？"田甲说："如果冷灰可以重燃，我就用小便浇熄它。"后来，韩安国释放出狱，被任命为梁州刺史。田甲吓得逃跑了。韩安国说："田甲如果逃走，就诛他九族；如果不逃，可以赦免他的罪过。"田甲于是来见韩安国。韩安国问道："冷灰今天重燃，你怎么不用尿浇熄它呢？"田甲十分害怕，韩安国便赦免了他的罪过，并授予他亭尉的官职。

诬金

【原文】

直不疑为郎，同舍有告归者，误持同舍郎金去，金主意不疑。不疑谢，有之买金，偿之。后告归者至，而归亡金，郎大惭。以此称为长者。

【译文】

直不疑当侍郎时，有一个同宿舍的人回家，误将室友的金子拿走了，丢了金子的人怀疑直不疑偷走他的金子。直不疑表示认错，立即买来金子，还给了他。后来，回家的人回来，将同宿舍的人丢失的金子归还，同宿舍的人很惭愧。因此大家都称直不疑是忠厚的人。

诬　裤

【原文】

陈重同舍郎有告归宁者，误持邻舍郎裤去。主疑重所取，重不自申说，市裤以还。

【译文】

陈重同宿舍有人回家，误拿了邻宿舍一个人的裤子。失主怀疑是陈重拿走的，陈重也不申辩，买了一条裤子还给他。

羹污朝衣

【原文】

刘宽仁恕，虽仓卒未尝疾言剧色。夫人欲试之，趁朝装毕，使婢捧肉羹翻污朝衣。宽神色不变，徐问婢曰："羹烂汝手耶？"

【译文】

刘宽仁慈宽厚，即便是仓促之间也从不疾言厉色。他的妻子想试探他，趁他刚穿好上朝的服装准备上朝时，派婢女送来一碗肉汤，故意打翻在刘宽的身上，弄脏他的朝服。刘宽的神色一点没变，慢慢地问婢女道:"汤烫坏了你的手吗?"

认　马

【原文】

卓茂,性宽仁恭爱。乡里故旧,虽行与茂不同,而皆爱慕欣欣焉。尝出,有人认其马。茂心知其谬,嘿解与之。他日,马主别得亡者,乃送马,谢之。茂性不好争如此。

【译文】

卓茂,性情宽厚仁慈、谦恭友爱,乡里的老朋友,即使品行与卓茂不同,也都十分敬爱仰慕他。有一次卓茂出门,有人说卓茂骑的马是他的,卓茂自己知道这个人弄错了,但只嘿嘿一笑就解下马给了他。过了几天,马的主人找到了他丢失的马,于是将马还给卓茂,并表示道歉。卓茂不喜欢与人争斗的性情到了这样的程度。

鸡肋不足以当尊拳

【原文】

刘伶尝醉,与俗人相忤。其人攘袂奋拳而往,伶曰:"鸡肋不足以当尊拳。"其人笑而止。

【译文】

刘伶曾经喝醉酒,和一粗俗之人发生冲突。那个人挽起袖子,举起拳头打过来，刘伶说：“我这像鸡肋一样的身子只怕抵挡不住老兄的拳头啊。”那个人笑着收起了拳头。

唾面自干

【原文】

娄师德深沉有度量，其弟除代州刺史，将行，师德曰：“吾备位宰相，汝复为州牧，荣宠过盛，人所嫉也，将何术以自免？”弟长跪曰：“自今虽有人唾某面，某拭之而已。庶不为兄忧。”师德愀然曰：“此所以为吾忧也。人唾汝面，怒

汝也，汝拭之，乃逆其意，所以重其怒。夫唾不拭自干，当笑而受之。”

【译文】

娄师德为人深沉有度量。他的弟弟被任命为代州刺史，将要上任，娄师德说：“我位至宰相，你又做了刺史，我们家门受宠幸太多了，这正是他人所嫉妒的，你打算怎样做来避免别人嫉妒呢？”弟弟跪下说：“从今以后，即使有人朝我的脸上吐唾沫，我自己擦掉它算了，决不让兄长你担忧。”娄师德神色严肃地说：“这正是我为你担忧的。人家向你脸上吐唾沫，是恼怒你，你擦掉它，是忤逆了吐唾沫人的心意，只会加重他的怒气。应当不去擦拭，让它自己干掉，这样笑着承受它。”

五世同居

【原文】

张全翁言：潞州有一农夫，五世同居。太宗讨并州，过其舍，召其长，讯之曰：“若何道而至此？”对曰：“臣无他，唯能忍尔。”太宗以为然。

【译文】

张全翁说：潞州有一个农夫，五代人居住在一起。唐太宗攻打并州时，经过他的家，召来这家的家长，问他说：“你用什么办法做到这样子呢？”家长回答说：“我没有别的办法，只是能忍罢了。”唐太宗认为很对。

九世同居

【原文】

张公艺九世同居，唐高宗临幸其家。问本末，书“忍”字以对。天子流涕，遂赐缣帛。

【译文】

张公艺一家九世同堂，唐高宗驾临他家，问他何以能九世同堂，他写了一个大大的“忍”字来回答唐高宗。高宗感动得流下眼泪，于是赏给他绸缎。

置怨结欢

【原文】

李泌、窦参器李吉甫之才，厚遇之。陆贽疑有党，出为明州刺史。贽之贬忠州，宰相欲害之，起吉甫为忠州刺史，使甘心焉。既至，置怨与结欢，人器重其量。

【译文】

李泌、窦参很器重李吉甫的才能，非常优厚地待他。陆贽怀疑他们结党拉派，将李吉甫放出京外任明州刺史。后来陆贽被贬到忠州，宰相想加害他，任命李吉甫为忠州刺史，以便他能报复陆贽。李吉甫一到忠州，便抛弃了往日的怨恨，与陆贽结为好友。人们都称李吉甫有度量。

鞍坏不加罪

【原文】

裴行俭尝赐马及珍鞍，令吏私驰马，马蹶鞍坏，惧而逃。行俭招还，云：“不加罪。”

【译文】

裴行俭曾经得到皇帝赏赐的马和珍贵的马鞍，他手下的一个小官偷偷地骑他的马，马跌倒了，毁坏了马鞍，小官吓得逃跑了。裴行俭派人把他找回来，说：“不治罪。”

万事之中，忍字为上

【原文】

唐光禄卿王守和，未尝与人有争。尝于案

几间大书“忍”字，至于帏幌之属，以绣画为之。明皇知其姓字，非时引对曰：“卿名守和，已知不争。好书忍字，尤见用心。”奏曰：“臣闻坚而必断，刚则必折。万事之中，忍字为上。”帝曰：“善。”赐帛以旌之。

【译文】

唐代光禄卿王守和，从未与人发生过争执。他曾经在书桌上写了一个很大的“忍”字，帏帐之类的东西上也绣上“忍”字。唐明皇李隆基知道王守和的名字，就非正式地召见他，说：“你的名字叫‘守和’，已经知道你不喜欢争斗；现在又喜欢写‘忍’字，更显出了你的用心所在。”王守和回答说：“我听说坚硬的东西必断，刚强的东西必折。世界上做任何事，要以忍让为上策。”唐明皇称赞道：“好。”并赏赐他锦帛以示表彰。

盘碎，色不少吝

【原文】

裴行俭初平都支、遮匐，获瑰宝不赀。番酋将士观焉。行俭因宴，遍出示坐者。有玛瑙盘二尺，文彩粲然。军吏趋跌，盘碎，惶惧，叩头流血。行俭笑曰：“尔非故也。”色不少吝。

【译文】

裴行俭从前平定都支、遮匐的时候，缴获的宝物不计其数。少数民族的将领和士兵前去观赏这些宝物。裴行俭于是举行宴会，将这些宝物都拿出来给他们观赏。其中有一件玛瑙盘，二尺长，文彩斑斓，很漂亮。士兵捧着它向前不小心跌倒，盘子被摔碎了。这个士兵很害怕，跪在地上，头都磕得流血。裴行俭笑着说："你并不是故意的呀！"脸上并没有吝惜的神情。

不忍按

【原文】

许圉师为相州刺史，以宽治部。有受贿者，圉师不忍按，其人自愧，后修饬，更为廉士。

【译文】

许圉师任相州刺史时，对待部下宽厚仁慈。有一个官吏受了贿，许圉师不忍心治他的罪，这个人自己感到羞愧，后来修身养性，变成了一个廉洁的官吏。

逊以自免

【原文】

唐娄师德，深沉有度量，人有忤己，逊以自免，不见容色。尝与李昭德偕行，师德素丰硕，不能剧步，昭德迟之，恚曰："为田舍子所留。"师德笑曰："吾不田舍，复在何人？"

【译文】

唐朝娄师德为人深沉有度量。别人冒犯了他，他却自己做检讨，而不表现出愤怒之色。他曾经和李昭德一起外出，娄师德向来很肥胖，不能快步走，李昭德认为他走得太慢，怨恨地说："我被种田人耽搁了。"娄师德笑着说："我不做种田人，还有谁做呢？"

盛德所容

【原文】

狄仁杰未辅政，娄师德荐之。后曰："朕用卿，师德荐也，诚知人矣。"出其奏。仁杰惭，已而叹曰："娄公盛德，我为所容，吾知吾不逮远矣。"

【译文】

狄仁杰还没有任宰相时，娄师德向武则天举荐他。武后对狄仁杰说："我任用你是娄师德举荐的结果，他确实能知人善任啊。"并把娄师德的推荐书给狄仁杰看。狄仁杰很惭愧，接着感叹说："娄公有高尚的德行，我为他所包容，我知道我远远赶不上他。"

含垢匿瑕

【原文】

晋陈骞，沉厚有智谋，少有度量，含垢匿瑕，所在存绩。

【译文】

晋朝的陈骞沉稳宽厚，有智谋。少年时就很有度量，能够忍受羞辱，替别人掩盖过失，他在做官的地方都留下了政绩。

未尝见喜怒

【原文】

唐贾耿，自朝归第，接对宾客，终日无倦。家人近习，未尝见其喜怒之色。古之淳德君子，何以加焉？

【译文】

唐朝的贾耿，下朝回家后仍不停地接待宾客，终日没有倦色。家里的人了解他的生活情况，从未见过他有欢喜和愤怒的表情。古代道德淳朴的人，也不过如此吧！

语侵不恨

【原文】

杜衍曰："今之在位者，多是责人小节，是诚不恕也。"衍历知州，提转安抚，未尝坏一官员。其不职者，委之以事，使不暇惰；不谨者，谕以祸福，不必绳之以法也。范仲淹尝与衍论事异同，至以语侵杜衍，衍不为恨。

【译文】

宋朝的杜衍说："如今当权在位的人，大多喜欢指责别人的小过错，这确实是没有宽恕之心。"杜衍从做知州到任安抚使，从来没有贬

斥过一位官员。对那些不称职的官员，就让他们多干实事，不让他们闲下来养成懒惰的习惯；对那些行为不谨慎的官员，就用不谨慎会致祸而谨慎能得福的道理教育他们，不一定用法律惩罚他们。范仲淹曾经与他讨论事情时有分歧，以至于用言语伤害他，他也不记恨。

释盗遗布

【原文】

陈寔，字仲弓，为太丘长。有人伏梁上，寔见，呼其子训之曰："夫不善之人，未必本恶，习以性成，梁上君子是矣。"俄闻自投地，伏罪。寔曰："观君形状非恶人，应由贫困。"乃遗布二端，令改过之，后更无盗。

【译文】

陈寔,字仲弓,曾任太丘县令。一天,有一个小偷伏在屋梁上准备行窃。陈寔看见后,把自己的儿子喊过来,教训说:"不好的人,并不一定生性就是恶的,而是习惯所养成的,屋梁上那一位就是这样的人。"一会儿,屋梁上的小偷跳下来,跪在地上认罪。陈寔说:"从你的外貌上看并不像是恶人,应该是由贫困造成的。"于是,赠给他两匹布,教他一定要改正。此后,这人再没有做过小偷。

愍寒架桥

【原文】

淮南孔旻,隐居笃行,终身不仕,美节甚高。尝有窃其园中竹,旻愍其涉水冰寒,为架一小桥渡之。推此则其爱人可知。

【译文】

淮南人孔旻,在乡里隐居,行为正直,终身没有做官,有高尚的气节。曾经有人偷他竹园中的竹子,孔旻可怜小偷过河寒冷,为他架了一座小桥,让他过去。由此可以推知他对别人的友善。

射牛无怪

【原文】

隋吏部尚书牛弘,弟弼好酒而酗,尝醉射

弘驾车牛。弘还宅,其妻迎,谓曰:"叔射杀牛。"弘闻无所怪,直答曰:"作脯。"坐定,其妻又曰:"叔忽射杀牛,大是异事。"弘曰:"已知。"颜色自若,读书不辍。

【译文】

隋朝吏部尚书牛弘,他的弟弟牛弼喜欢喝酒并且经常喝醉,曾经酒醉以后,用箭射死牛弘驾车的牛。牛弘回家时,他的妻子迎上前去对他说:"叔叔射死了牛。"牛弘听见后,并没有显出奇怪的神情,只是说:"做肉干吧!"等到牛弘坐定以后,他的妻子又说道:"叔叔突然射死了牛,真是奇怪的事。"牛弘回答说:"已经知道了。"神色自若,并没有停止读书。

代钱不言

【原文】

陈重,字景公,举孝廉,在郎署。有同郎署负息钱数十万,债主日至,请求无已,重乃密以钱代还。郎后觉知而厚辞谢之。重曰:"非我之为,当有同姓名者。"终不言惠。

【译文】

陈重,字景公,被推荐为孝廉,在衙门中当官。一位同僚欠了数十万钱的债务,债主每天登门,不断地催债,陈重于是暗地里用自己的钱为这个人还清了债。同僚后来知道了这件事,十分感谢他。陈重却说:"不是我做的,大概是同姓名的人做的吧。"始终不提代人还债的恩惠。

认猪不争

【原文】

曹节，素仁厚。邻人有失猪者，与节猪相似，诣门认之，节不与争。后所失猪自还，邻人大惭，送所认猪，并谢。节笑而受之。

【译文】

曹节，一向仁慈厚道。邻居的一头猪丢失了，与曹节家中的猪很相似，邻居便到曹节家中认领，曹节没有和他争论。后来，邻居的猪自己跑回来，邻居感到十分惭愧，归还曹节的猪，并给曹节认错。曹节笑笑，收下了猪。

鼓琴不问

【原文】

赵阅道为成都转运使,出行部内。唯携一琴一龟,坐则看龟鼓琴。尝过青城山,遇雪,舍于逆旅。逆旅之人不知其使者也,或慢狎之,公颓然鼓琴不问。

【译文】

赵阅道任成都转运使,出去巡行,随身只携带一张琴和一只龟,休息时就一边弹琴一边看龟。有一次,赵阅道路过青城山,遇到下雪,住在旅店里。旅店的人不知道他是转运使,有人就怠慢、侮辱他。赵阅道只是弹琴,不理会这些。

唯得忠恕

【原文】

范纯仁尝曰:“我平生所学,唯得忠恕二字,一生用不尽,以至立朝事君,接待僚友,亲睦宗族,未尝须臾离此也。”又诫子弟曰;“人虽至愚,责人则明;虽有聪明,恕己则昏。尔曹但常以责人之心责己,恕己之心恕人,不患不到圣贤地位也。”

【译文】

范纯仁曾说:“我生平所学的,只学到了‘忠’、‘恕’两个字,这两个字一生都受用不尽,以至于在朝做官侍奉君主,接待同事朋友,与族人亲近和睦相处,从来没有片刻离开这两个字。”又告诫子弟说:“即使最愚蠢的人,在责备别人时总是很聪明;即使是聪明的人,在宽恕自己时总显得很糊涂。你们只要经常用责备别人的心思来责备自己,用宽恕自己的心思去宽恕别人,就不必担心达不到圣贤的地位了。”

益见忠直

【原文】

王太尉旦荐寇莱公为相，莱公数短太尉于上前,而太尉专称其长。上一日谓太尉曰:“卿虽称其美，彼谈卿恶。”太尉曰:“理固当然。臣在相位久，政事阙失必多。准对陛下无所隐,益见其忠直。臣所以重准也。”上由是益贤太尉。

【译文】

太尉王旦推荐寇准任宰相。寇准多次在皇上面前指责王旦的缺点,而王旦却专门称赞寇准的长处。皇上有一天对太尉说:“你虽然称赞他的优点,他却说你的缺点。”太尉说:“按理本来就应当是这样。我担任宰相时间长，在处理政事时失误必定很多。寇准对陛下毫不隐瞒,更见他的忠诚和耿直。这正是我器重寇准的原因。”皇上因此更加认为王旦贤明。

酒流满路

【原文】

王文正公母弟，傲不可训。一日过冬至，祠家庙列百壶于堂前，弟皆击破之，家人惶骇。文正忽自外入，见酒流，又满路，不可行，俱无一言，但摄衣步入堂。其后弟忽感悟，复为善。终亦不言。

【译文】

王文正公（王旦）同母的弟弟，性格桀骜不驯。一天过冬至，家人在祠堂中祭祖，堂前摆了上百壶酒，弟弟击碎了所有的酒壶，家里的人都十分畏惧震惊。王旦从外面进来，见酒遍地流淌，路都不能走了，但他一句话都没说，只是提起衣服进到堂屋里去。后来，他弟弟忽然醒悟过来，变好了。王旦也始终不谈击壶之事。

不形于言

【原文】

韩魏公器重闳博，无所不容，自在馆阁，已有重望于天下。与同馆王拱辰、御史叶定基，同发解开封府举人。拱辰、定基时有喧争，公安坐幕中阅试卷，如不闻。拱辰愤不助己，诣公室谓公曰:“此中习器度耶?”公和颜谢之。公为陕西招讨,时师鲁与英公不相与,师鲁于公处即论英公事,英公于公处亦论师鲁,皆纳之,不形于言,遂无事。不然不静矣。

【译文】

韩琦稳重宽厚有器量,什么都可以容忍,还在馆阁任职时,他的名望就已传遍天下。他曾经与同馆的王拱辰以及御史叶定基,一起赴开封府,主持科举考试。王拱辰、叶定基经常因评卷而争论,而韩琦坐在幕室中阅卷,就像没有听见一样。王拱辰认为韩琦不帮助自己,到他的房间里说:“你是在修养度量吗?”韩琦和颜悦色地认错。韩琦在陕西征讨叛军时,颜师鲁与英公李勣不和,颜师鲁在韩琦处谈论李勣的坏话,李勣在韩琦处也讲颜师鲁的坏话,韩琦都听着,却从不吐露出去,所以相安无事,要不是这样早就不得安宁了。

未尝峻折

【原文】

欧阳永叔在政府时,每有人不中理者,辄峻折之,故人多怨;韩魏公则不然,从容谕之,以不可之理而已,未尝峻折之也。

【译文】

欧阳修在官府为官的时候,只要碰到没理的人就会严厉地惩罚或斥责他,所以很多人怨恨他;而韩琦却不这样,总是从容不迫地用为什么不能这样做的道理来教育他人,从不严厉地斥责或惩罚他人。

非毁反己

【原文】

韩魏公谓:“小人不可求远,三家村中亦有一家。当求处之之理。知其为小人,以小人处之。更不可校,如校之,则自小矣。人有非毁,但当反己是不。是己是, 则是在我而罪在彼,乌用计其如何。”

【译文】

韩琦说:“小人不一定要在很远的地方才能找到,三户人家中就有一家。应当寻求对付小人的办法。知道他是小人,就用对待小人的方式对待他。千万不可与小人计较,如果与小人计较,自己也就变成了小人。如果有人诋毁你,只要反省一下自己是对还是错。自己是对的,那么有道理的是我而没有道理的是他,何必去计较什么呢?”

辞和气平

【原文】

凡人语及其所不平,则气必动,色必变,辞必厉。唯韩魏公不然,更说到小人忘恩背义欲倾己处,辞和气平,如道寻常事。

【译文】

一般人谈到自己感到不平的事情时，必然动火气，变脸色，言辞也变得严厉。只有韩琦不是这样，每当他说到小人忘恩负义，准备陷害自己的地方时，总是心平气和，如同说平常的事情一样。

委曲弥缝

【原文】

王沂公曾再莅大名代陈尧咨。既视事，府署毁圮者，既旧而葺之，无所改作；什器之损失者，完补之如数；政有不便，委曲弥缝，悉掩其非。及移守洛师，陈复为代，睹之叹曰："王公宜其为宰相，我之量弗及。"盖陈以昔时之嫌，意谓公必反其故，发其隐者。

【译文】

王曾两次到大名府替代陈尧咨的职务。开始工作以后，官府的房屋毁坏倒塌的，就在原有的基础上修复，不作任何改动；物品器皿损坏了的，补修得一件不少；原先的政事处理不妥的地方，就尽量弥补，掩盖做得不对的地方。等到他移任洛阳太守，陈尧咨重新回大名府任职，看到他所做的一切，感叹地说："王曾应当任宰相，我的度量远远赶不上他呀！"原来，陈尧咨以为他们过去曾有隔阂，王曾必定会与自己的做法相反，并将他的过失公开出来。

诋短逊谢

【原文】

傅献简公言李公沆秉钧日，有狂生叩马献书，历诋其短。李逊谢曰："俟归家，当得详览。"狂生遂发讪怒，随君马后，肆言曰："居大位不能康济天下，又不能引退，久妨贤路，宁不愧于心乎？"公但于马上踧踖再三，曰："屡求退，以主上未赐允。"终无忤也。

【译文】

傅尧俞曾经说，李沆当宰相时，有一个狂妄的书生拦住他的马，递上一封书信，逐条指责李沆的过失。李沆谦逊地认错说："等我回家以后，一定要详细地看它。"那个书生于是发怒，跟在李沆的马后面，放肆地叫道："你处在高官的位置却不能为天下谋利，又不主动引退，长久地妨碍贤人进取的道路，难道就不感到惭愧吗？"李沆在马上恭敬不安地说："我多次请求引退，可是皇上没有允许。"始终也没有为难那个狂生。

直为受之

【原文】

吕正献公著，平生未尝较曲直。闻谤，未

尝辩也。少时书于座右曰："不善加己，直为受之。"盖其初自惩艾也如此。

【译文】

吕公著平生从来不和别人计较是非曲直，听到别人诽谤自己，也不曾辩解过。年少时写过这样的座右铭："别人有不善的行为施加在你的身上，你只管承受下来。"原来他当初警戒自己就这样严厉。

服公有量

【原文】

王武恭公德用善抚士，状貌雄伟动人，虽里儿巷妇，外至夷狄，皆知其名氏。御史中丞孔道辅等，因事以为言，乃罢枢密，出镇。又贬官，知随州。士皆为之惧，公举止言色如平时，唯不接宾客而已。久之，道辅卒，客有谓公曰："此害公者也。"公愀然曰："孔公以职言事，岂害我者！可惜朝廷亡一直臣。"于是，言者终身以为愧，而士大夫服公为有量。

【译文】

王德用善于安抚士人，他身材魁梧仪表堂堂，就是里巷的小孩、妇女、边远的少数民族，都知道他的名字。御史中丞孔道辅等人因为王德用某件事的过错上奏皇上，于是王德用被罢免了枢密院的官职，出京镇守外地，后来又被贬到随州任知州。士人都替他感到担心，而王德用言行举止一如平常，只是不接待宾客罢了。过了很久，孔道辅去世，宾客中有人对王德用说："这就是害你的人的下场。"王德用严肃地说："孔公根据他的职责上书言事，怎么能说是害我呢？可惜朝廷失去了一位正直的大臣。"于是说此话的人对此终生感到惭愧，而士大夫们都敬佩王德用有器量。

宽大有量

【原文】

《程氏遗书》：子言范公尧夫之宽大也。"昔余过成都，公时摄帅。有言公于朝者，朝廷遣中使降香峨嵋，实察之也。公一日在予款语，予问曰：'闻中使在此，公何暇也？'公曰：'不尔则拘束。'已而中使果然怒，以鞭伤传言者耳。属官喜谓公曰：'此一事足以塞其谤，请闻于朝。'公既不折言者之为非，又不奏中使之过也。

其有量如此。”

【译文】

《程氏遗书》记载：程颐说范尧夫宽大为怀。“从前我经过成都时，范尧夫为军中统帅。有人在朝廷告了范尧夫的状，朝廷派使者到峨嵋山烧香，实际上是暗中视察范尧夫的政事。一天，范尧夫与我闲谈，我问道：‘听说朝廷的使者在这里，此时您怎么能有闲工夫呢？’范尧夫说：‘如果不这样，反而显得拘束。’使者果然十分恼怒，用鞭子抽打走漏消息的人的耳朵。范尧夫手下的官员对他说：‘这一件事足以使其不敢在朝廷中诽谤您了，请把这件事上报朝廷。’范尧夫既不说出主意的人意见不对，也不向朝廷奏报使者的过失。他的度量是如此之大。”

呵辱自隐

【原文】

李翰林宗谔，其父文正公昉。秉政时避嫌远势，出入仆马，与寒士无辨。一日，中路逢文正公，前趋不知其为公子也，遽呵辱之。是后每见斯人，必自隐蔽，恐其知而自愧也。

【译文】

翰林李宗谔的父亲是文正公李昉，他在父亲执政时，避开嫌疑，远离权势，出入车马俭朴，与贫寒的读书人没有区别。一天，在路上碰到父亲，他父亲马前的官吏不知道他是公子，严厉呵斥并侮辱他。此后，李宗谔每见到这个人，就自己躲起来，以免让他知道自己的真实身份而感到惭愧。

容物不校

【原文】

傅公尧俞在徐，前守侵用公使钱，公寖为偿之，未足而公罢。后守反以文移公，当偿千缗，公竭资且假贷偿之。久之，钩考得实，公盖未尝侵用也，卒不辩。其容物不校如此。

【译文】

傅尧俞任徐州太守时，前任太守挪用了公家的钱物，傅尧俞暗暗地替他还债，还没有还完，他就被罢免了。接任太守反而写信给傅尧俞，说应当再还一千缗。傅尧俞拿出全部家产，还借了钱才将这笔钱还清。后来考核证实这钱不是傅尧俞挪用的，而他自己却始终没有申辩。他能容忍而不计较别人到了如此地步。

德量过人

【原文】

韩魏公镇相州，因祀宣尼省宿，有偷儿入室，挺刃曰："不能自济，求济于公。"公曰："几上器具可直百千，尽以与汝。"偷儿曰："愿得公首以献西人。"公即引颈。偷儿稽颡曰："以公德量过人，故来相试。几上之物已荷公赐，愿无泄也。”公曰：“诺。”终不以告人。其后，为盗者以他事坐罪，当死，于市中备言其事，曰：“虑吾死后，惜公之德不传于世。”

【译文】

韩琦镇守相州时，因为祭祀孔子庙，在外地住宿。有一个小偷走进房中，举着刀对韩琦说：“我不能养活自己，所以向您求助。”韩琦说：“案桌上的器皿可以值不少钱，都给你吧。”小偷说：“我想割下您的头，献给西边的契丹人。”韩琦当即伸着脖子让他杀头。小偷跪下行礼说：“人们都说您度量很大，所以来试试您。案桌上的器皿我拿走了，希望您不要将此事泄漏出去。”韩琦说：“我答应你。”最终也没有将此事告诉他人。后来，这个小偷因为其他的事犯法被判刑，将要被处死，在刑场上，他说了这件事的详细情况。他说：“我担心我死后，韩魏公的德行不能流传于世，所以将此事说出来。”

众服公量

【原文】

彭公思永，始就举时，贫无余资，唯持金钏数只栖于旅舍。同举者过之，众请出钏为玩。客有坠其一于袖间，公视之不言。众莫知也，皆惊求之。公曰：“数止此，非有失也。”将去，袖钏者揖而举手，钏坠于地，众服公之量。

【译文】

彭思永当初参加科举考试时，贫穷没有多余的钱，只带了几只金钏,住在旅馆里。一同参加考试的人请他把金钏拿出来看一看。有一位客人拿了其中的一只藏到衣袖中,彭思永看到了也不说。大家不知道,都惊慌地寻找。彭思永说:“金钏只有这些,没有丢失。”众人准备离去,袖子中藏着金钏的人举手作揖告别,金钏便掉在地上,大家都佩服彭思永的度量。

还居不追直

【原文】

赵清献公家三衢,所居甚隘,弟侄欲悦公意者,厚以直易邻翁之居,以广公第。公闻不乐,曰:“吾与此翁三世为邻矣,忍弃之乎?”命亟还公居而不追其直。此皆人情之所难也。

【译文】

清献公赵抃家住在三条大路交界的地方,住房很拥挤,他的侄儿们想使他高兴,用很高的价钱买了邻屋一位老人的房子,以扩建赵家的住宅。赵抃听到这件事后很不高兴,说:“我和这位老人三代都是邻

居，怎么忍心抛弃他呢？”于是命令他们立即把房子还给老人，却不追要买房子的钱。从情理上讲这是一般人难以做到的。

持烛燃须

【原文】

宋丞相魏国公韩琦帅定武时，夜作书，令一侍兵持烛于旁。侍兵它顾，烛燃公之须，公遽以袖摩之，而作书如故。少顷回视，则已易其人矣。公恐主吏鞭笞，亟呼视之，曰：“勿易渠，已解持烛矣。”军中咸服。

【译文】

宋朝丞相魏国公韩琦在定武统率军队时，一天夜里写信，让一名侍兵在旁边手持蜡烛给他照明。侍兵看别的地方，蜡烛烧着了韩琦的胡须，韩琦急忙用袖子拂灭它，和原来一样继续写信。过了一会儿回头看时，发现已经换了持烛之人。韩琦担心主事的官员鞭打那名侍兵，立即把他叫来，说：“不要换掉他，他已经知道怎样拿蜡烛了。”军中的官兵都很佩服韩琦。

物成毁有时数

【原文】

魏国公韩琦镇大名日，有人献玉杯二只，

曰："耕者入坏冢而得之，表里无瑕可指，亦绝宝也。"公以白金答之，尤为宝玩。每开宴召客，特设一桌，覆以锦衣，置玉杯其上。一日召漕使，且将用之酌酒劝坐客，俄为一吏误触倒，玉杯俱碎。坐客皆愕然，吏且伏地待罪。公神色不动，笑谓坐客曰："凡物之成毁，亦自有时数。"俄顾吏，曰："汝误也，非故也，何罪之有？"坐客皆叹服公宽厚之德不已。

【译文】

魏国公韩琦镇守大名府时，有人献给他两只玉杯，说："这是种田的人在破坟中找到的，杯子内外都没有一点瑕疵，是绝世之宝。"韩琦用白金酬谢献杯的人，对玉杯非常珍爱。每次设宴招待客人，都特意摆一张桌子，用锦绸盖着，再把玉杯放在上面。一天招待漕运使，准备用这两只玉杯斟酒劝客人喝。不久，玉杯被一个官吏不小心撞倒，两个都摔碎了。客人们都很吃惊，那名官吏也伏在地上等候惩罚。韩琦神色不变，笑着对客人们说："凡是世间的物品，它的生成与毁坏都自有天定的时机和气数。"过了一会儿回头对那名官吏说："你是失误造成的，并不是故意的，有什么罪呢？"客人们都对韩琦宽厚的德行敬佩不已。

骂如不闻

【原文】

富文忠公少时，有骂者，如不闻。人曰："他骂汝。"公曰："恐骂他人。"又告曰："斥公名云富某。”公曰：“天下安知无同姓名者？”

【译文】

文忠公富弼年少时，有人骂他，他就像没听到一样。有人告诉他说：“他在骂你。”富弼说：“恐怕是骂别人吧。”那个人又告诉他：“他指名道姓地骂你。”富弼说：“怎么就知道天下没有同名同姓的人呢？”

佯为不闻

【原文】

吕蒙正拜参政，将入朝堂，有朝士于帘下指曰：“是小子亦参政耶？”蒙正佯为不闻。既而，同列必欲诘其姓名，蒙正坚不许，曰：“若一知其姓名，终身便不能忘，不如不闻也。”

【译文】

吕蒙正被任命为宰相，正要入朝时，朝中的一位官吏在门帘下指着他说：“这个小子也做了宰相吗？”吕蒙正假装没有听见。这时，同行的官员一定要弄清那人的姓名，吕蒙正坚决不答应，说：“一旦知道他的姓名，终身便忘不了，还不如不知道。”

骂殊自若

【原文】

狄武襄公为真定副帅，一日宴刘威敏，有

刘易者亦与坐。易素疏悍，见优人以儒为戏，乃勃然曰："黥卒乃敢如此。"诟骂武襄不绝口，掷樽俎而起。武襄殊自若，不少动，笑语愈温。易归，方自悔，则武襄已踵门求谢。

【译文】

武襄公狄青任真定副统帅时，一天宴请刘威敏，一个叫刘易的也在座。刘易向来粗疏强悍，见席间唱戏的人扮演读书人，就勃然大怒，说："流配为兵的人竟敢侮辱我！"于是他大骂狄青，不绝于口，并摔掉酒杯、食器站起来。狄青神色自若，一动不动，笑声语气更加温和。刘易回家后正自感惭愧，这时狄青已经来到他家里赔礼道歉了。

为同列斥

【原文】

王吉为添差都监，从征刘旰。吉寡语，若无能动。为同列斥，吉不问，唯尽力王事。卒破贼，迁统制。

【译文】

王吉任添差都监，参与征讨刘旰。王吉平时少言寡语，好像没有什么能打动他。被同事排斥，王吉也不过问，只是尽心尽力地为朝廷做事。终于打败了敌人，升为军队统制。

不发人过

【原文】

王文正太尉局量宽厚，未尝见其怒。饮食有不精洁者，不食而已。家人欲试其量，以少埃墨投羹中，公唯啖饭而已。问其何以不食羹，曰："我偶不喜肉。"一日又墨其饭，公视之，曰："吾今日不喜饭，可具粥。"其子弟愬于公曰："庖肉为饔人所私食，肉不饱，乞治之。"公曰："汝辈人料肉几何？"曰："一斤。今但得半斤食，其半为饔人所廋。"公曰："尽一斤可得饱乎？"曰："尽一斤固当饱。"曰："此后人料一斤半可也。"其不发过皆类此。尝宅门坏，主者撤屋新之，暂于廊庑下启一门以出入。公至侧门，门低，据鞍俯伏而过，都不问门。毕，复行正门，亦不问。有控马卒，岁满辞公，公问："汝控马几年？"曰："五年矣。"公曰："吾不省有汝。"既去，复呼回，曰："汝乃某大人乎？"于是厚赠之。乃是逐日控马，但见背，未尝视其面，因去见其背方省也。

【译文】

太尉文正公王旦度量宽厚，从来没有看见他发怒。饮食不干净或不好时，只是不吃而已。家里的人想试试他的度量，将少量的灰尘和墨洒在汤里，王旦只吃饭而不吃菜。问他为什么不喝汤，他说："我有时候不喜欢喝肉汤。"有一天，又将墨洒在他的饭中，王旦看见以后，说："我今天不想吃饭，你们可以熬一些粥。"他的儿子告诉他说："肉被做饭的人私下吃了，我们就吃不饱了，请父亲惩罚那个厨子。"王旦说："你们估计吃多少肉？"儿子说："要一斤。但如今只能吃半斤肉，其余半斤让厨子藏起来了。"王旦说："一斤肉能吃饱吗？"儿子说："一斤肉当然可以吃饱。"王旦说："那么以后每天买一斤半肉好了。"他就像这样从不揭露人的过失。他住宅的门曾经坏了，管理房子的人准备将它修补好，暂时在走廊上开一道侧门以供出入。王旦到侧门，门很低，王旦俯在马鞍上进门，也不问情况。门修好了，重新走正门，也不问。有一位驾车的士卒，驾车时间满了，向王旦辞行。王旦问他："你驾车几年了？"驾车人说："五年了。"王旦说："但我却不认识你。"驾车的人转过身准备离去，王文公喊他回来，说："你不是某某人吗？"于是赠给他很多财物。原来，驾车人每天驾车只是背对王文公，王文公从未见过他的面部，因为刚才一转身见到他的背影才认出来。

器量过人

【原文】

韩魏公器量过人，性浑厚，不为畦畛峭堑。

功盖天下，位冠人臣，不见其喜；任莫大之责，蹈不测之祸，身危于累卵，不见其忧。怡然有常，未尝为事物迁动，平生无伪饰其语言。其行事，进，立于朝与士大夫语；退，息于室与家人言，一出于诚。人或从公数十年，记公言行，相与反复考究，表里皆合，无一不相符。

【译文】

韩琦度量过人，生性浑厚纯朴，从不崖岸自高，与人过不去。他功盖天下，位居大臣之首，但没有见他为此感到高兴；担负重大的责任，面临难以预料的祸事，生命危如累卵，也从未见他忧愁过。怡然自乐，从来没有因为事物的变化而改变，一生说话毫不伪饰。他做事为人，上朝时站着与其他官员说话，回来以后休息时与家里人说话，都是出于诚心。有一个跟随韩琦几十年的人，记下了韩琦的言行，反复对照，发现他说的与做的都十分吻合，没有不相符的地方。

动心忍性

【原文】

尧夫解“他山之石，可以攻玉”：玉者，温润之物，若将两块玉来相磨，必磨不成，须是得他个粗矿底物，方磨得出。譬如君子与小人处，为小人侵陵，则修省畏避，动心忍性，增益预防，如此道理出来。

【译文】

邵雍解释“他山之石，可以攻玉”这句话，说：玉，是温润的物品，如果用两块玉石相磨，肯定磨不成玉。必须用粗糙的矿石，才可以磨得出玉。这就如同君子与小人相处一样，被小人所侵犯欺凌，就自己加强修炼，反省自己，避开小人，耐心忍让，增强预防能力，这样就可以从中悟出与小人相处的方法了。

受之未尝行色

【原文】

韩魏公因谕君子小人之际，皆应以诚待之。但知其为小人，则浅与之接耳。凡人之于小人欺己处，觉必露其明以破之，公独不然。明足以照小人之欺，然每受之，未尝形色也。

【译文】

韩琦曾说，无论是与君子还是小人相处，都应该以诚相待。但是如果知道他是小人，就和他交往浅一点。一般人遇到小人欺骗自己的时候，发现了就一定要显露自己的聪明来对其予以揭露，韩琦独独不这样做。他的智慧足以明察小人的欺骗行径，然而每次都忍受下来，从不在神色上表露出来。

与物无竞

【原文】

陈忠肃公瓘，性谦和，与物无竞。与人议论，率多取人之长，虽见其短，未尝面折，唯微示意以警之。人多退省愧服。尤好奖后进，后辈一言一行，苟有可取，即誉美传扬，谓己不能。

【译文】

忠肃公陈瓘，性格谦逊和蔼，与世无争。和人议论，总是夸赞别人的长处，即使看见别人的缺点，也从不当面指责，只是稍微示意来警示一下。当事人多数回家后反省自己而对陈瓘感到既惭愧又佩服。他尤其喜欢奖励后辈，后辈的一言一行，只要有可取之处，就赞誉并传扬出去，说自己都做不到。

忤逆不怒

【原文】

先生每与司马君实说话，不曾放过。如范尧夫，十件只争得三四件便已。先生曰："君实只为能受，尽人忤逆终无怒，便是好处。"

【译文】

先生每次同司马光说话，从不曾放弃过自己的看法。如果同范尧夫在一起，十件事只争得三四件就停下不争了。先生说："司马光只是因为能够忍受，即使被人得罪也始终不生气，这就是他过人的地方。"

潜卷授之

【原文】

韩魏公在魏府，僚属路拯者就案呈有司事，而状尾忘书名。公即以袖覆之，仰首与语，稍稍潜卷，从容以授之。

【译文】

韩琦在魏国公府，部下路拯在他的桌案前呈上文书，但是文书的结尾却忘了署名。韩琦就用衣袖盖起来，抬着头与他讲话，悄悄地将文书抽出来，从容不迫地交给他补签上名字。

俾之自新

【原文】

杜正献公衍尝曰："今之在上者，多擿发下位小节，是诚不恕也。衍知兖州时，州县官有累重而素贫者，以公租所得均给之。公租不足，即继以公帑，量其小大，咸使自足。尚有复侵扰者，真贪吏也，于义可责。"又曰："衍历知州，提转安抚，未尝坏一个官员，其间不职者，即委以事，使之不暇惰；不谨者，谕以祸福，俾之自新。而迁善者甚众，不必绳以法也。”

【译文】

正献公杜衍曾说：“如今处在高位的人，大多喜欢揭露部下的过失，这确实是不能宽恕的行为。我在任兖州知州时，州县官员中有的家中负担重而一向贫困的，就用所收到的租税给他们补助，如果租税不够，就用公家的钱财，根据他们需要的多少，使他们都能自足。如此还有侵占公家财物的，那就真是贪官污吏了，从道义上就可斥责他们。”又说：“我从当知州到升为安抚使，从没有惩罚过一位官员。对于其中不称职的，就让他做一些实际的事情，使他不会有空暇偷懒；对不谨慎的官员，就用不谨慎致祸而谨慎得福的道理来教育他，使他改过自新。于是变成好人的很多，不一定都要绳之以法。”

未尝按黜一吏

【原文】

陈文惠公尧佐，十典大州，六为转运使，常以方严肃下，使人知畏。而重犯法至其过失，则多保佑之。故未尝按黜一下吏。

【译文】

文惠公陈尧佐，做过十个大州的长官，六次任转运使，他以方正而严肃的态度对待部下，使人感到敬畏。对犯罪较重的人及其过失，却多加保护和帮助。所以不曾罢免过一位官吏。

小过不怿

【原文】

宋朝韩亿在中书，见诸路职司捃拾官吏小过，不怿。曰："今天下太平，主上之心虽昆虫草木皆欲得所，士之大而望为公卿，次而望为侍从，职司二千石下，亦望为州郡，奈何锢之于圣世？"

【译文】

宋朝韩亿在中书省任职时，见各路官员计较官吏的小过错，很不高兴。他说："现在天下太平，皇上的心思是哪怕是昆虫草木都想让它们各得其所。士大夫则希望成为公卿，次等的希望能够担任侍从，俸禄在二千石以下的，也希望能够成为州郡的长官。为什么要将他们禁锢在这太平盛世呢？"

拔藩益地

【原文】

陈嚣与民纪伯为邻，伯夜窃藩嚣地自益。嚣见之，伺伯去后，密拔其藩一丈，以地益伯。伯觉之，惭惶，既还所侵，又却一丈。太守周府君高嚣德义，刻石旌表其闾，号曰"义里"。

【译文】

陈嚣与纪伯是邻居，纪伯晚上偷偷地将篱笆向陈嚣的地里移动，以增加自己的土地。陈嚣发现了，等到纪伯走后，悄悄地将篱笆向自己这边又移动一丈，使纪伯的地更大。纪伯发现以后，十分惭愧，除主动归还侵占的土地之外，还将篱笆向自己这边移动一丈。周太守认为陈嚣品德高尚，非常仁义，就在陈嚣所在的里巷刻石予以表扬，号称“义里”。

兄弟讼田，至于失败

【原文】

清河百姓乙普明兄弟，争田积年不断。太守苏琼谕之曰：“天下难得者，兄弟；易求者，田地。假令得田地，失兄弟心如何？”普明兄弟叩头乞外更思，分异十年遂还同往。

【译文】

清河老百姓乙普明兄弟两人，为田地相争了多年。太守苏琼开导他们说："普天之下，难得的是兄弟，而容易得到的是田地，如果你得到田地，却失去了兄弟的情义，又有什么意思呢？"普明兄弟两人叩头，请求去外面想一想，结果分开了十年的两兄弟一同回家了。

将愤忍过片时，心便清凉

【原文】

彭令君曰："一朝之愤可以亡身及亲，锥刀之利可以破家荡业，故纷争不可以不戒。大抵愤争之起，其初甚微，而其祸甚大。所谓涓涓不壅，将为江河；绵绵不绝，或成网罗。人能于其初而坚忍制伏之，则便无事矣。性犹火也，方发之初，戒之甚易；既已焰炽，则焚山燎原，不可扑灭，岂不甚可畏哉！俗语有云：得忍且忍，得诫且诫，不忍不诫，小事成大。试观今人愤争致讼，以致亡身及亲、破家荡产者，其初亦岂有大故哉？被人少有触击必愤，被人少有所侵凌则必争。不能忍也，则詈人，而人亦骂之；殴人，而人亦殴之；讼人，而人亦讼之。相怨相仇，各务相胜，胜心既炽，无缘可遏，此亡身及亲、破家荡业之由也。莫若于将愤之初则便忍之，才过片时，则心必清凉矣。欲其欲争之初且忍之，果有所侵利害，徐以礼恳问之，不从而后徐讼之于官可也。若蒙官司见直，行之稍峻，亦当委曲以全邻里之义。如此则不伤财，不劳神，身心安宁，人亦信服。此人世中安乐法也。比之争斗愤竞，丧心费财，伺候公庭，俯仰胥吏，拘系囹圄，荒废本业，以至亡身及亲、破家荡产者，不亦远乎？”

【译文】

彭令君说：“一时的气愤，可以断送自己性命，连累亲人；争夺锥尖刀刃那么小的利益，能导致倾家荡产，所以不能不戒除纷争。一般纷争的产生都起源于很小的事情，而造成的祸患很大。这就是人们所说的：细小的流水不阻塞，就能汇成江河；纤细的丝线不断绝，就可以织成罗网。如果人们能够在纷争产生之初就忍让制止它，就不会有事。人的性情如同火，火刚烧起来时，弄灭它很容易；但一旦烧成大火，就会烧毁山林燎遍草原，不能扑灭了，这难道不是很可怕吗？俗语说：能忍就忍，能诫就诫，不忍不诫，小事就变成大事。试看现在的人争斗以致诉讼，导致自身丧命，累及亲人，倾家荡产，起初哪里有什么大的原因呢？被人稍有所触犯就一定发怒，被人稍有所侵凌就一定要争斗。不能忍让，这样就骂别人，别人也会骂你；打别人，别人也会打你；状告别人，别人也会状告你。相互怨恨，各自都想获胜，求胜心切，就没有办法可以遏制，这就是送掉性命、连累亲人、倾家荡产的原因啊。不如在一开始就忍住愤怒，只要过片刻时间，心境就自然平静了。要在想争斗之初就忍让他，果真有利益被侵犯了，慢慢以礼诚恳地相问；如果这样不行再上告官府也可以。如果官府正直行事，但判决有些严厉，就应当委曲求全来保全邻里的情义。这样就既不破财也不伤神，身心安宁，别人也信服你。这是人世中求得安乐的方法。和那些竭力与人争气斗狠，耗心费财，听候审讯，巴结官吏，囚于狱中，荒废正业，以至于丢掉性命、连累亲人、倾家荡产的人相比，相差不是太远了吗？”

愤争损身，愤亦损财

【原文】

应令君曰：“人心有所愤者，必有所争；有所争者，必有所损。愤而争斗损其身，愤而争讼损其财。此君子所以鉴《易》之《损》而惩愤也。”

【译文】

应令君说：“人们心中有怨愤，一定会与别人争斗；与别人争斗，必然会有所损失。因为愤怒而和别人争斗就会伤害自己的身体，因为愤怒而和别人打官司就会损失自己的钱财。这就是君子鉴于《易经》的《损卦》而压制愤怒的原因。”

十一世未尝讼人于官

【原文】

按《图记》云：“雷孚，宜丰人也。登进士科，居官清白，长厚，好德与义，以枢相恩赠太子太师。自唐雷衡为人长厚，至孚十一世，未尝讼人于官。时以为积善之报。”

【译文】

按《图记》载："雷孚，是宜丰人，登进士科及第，为官清白，为人厚道，讲究仁义道德，曾任宰相而被赐予太子太师的官职。雷氏家族从唐朝的雷衡开始就为人忠厚，到雷孚共十一代，从没有与人打过官司。当时的人都认为是积善的回报。"

无疾言遽色

【原文】

吕正献公自少讲学，明以治心养性为本，寡嗜欲，薄滋味，无疾言，无遽色，无窘步，无惰容，笑俚近之语未尝出诸口。于世利纷华，声伎游宴以至于博弈奇玩，淡然无所好。

【译文】

吕蒙正少年时期讲求学问，明晓人应当以修身养性为根本，克制嗜欲，不重饮食，没有严厉的语言，没有愤怒的脸色，没有慌张的脚步，没有疲倦的神情，笑语、粗俗的话不曾出之于口。对世俗的奢华，歌舞、游宴乃至赌博、下棋等娱乐活动都看得很平淡而一无所好。

子孙数世同居

【原文】

温公曰："国家公卿能导先法久而不衰者，

唯故相李昉家，子孙数世至二百余口，犹同居共爨，田园邸舍所收及有官者俸禄，皆聚之一库，计口日给饷。婚姻丧葬，所费皆有常数，分命子弟掌其事。”

【译文】

司马光说：“国家公卿级的官吏中，能够继承前辈的礼法而长久昌盛不衰的，只有已故的丞相李昉家。李昉一家子孙几代共二百余人，至今仍住在一起，共同生活。田园和房舍的收入以及当官的人的俸禄，都集中放在一座仓库里，按人口支出每日的生活费用。婚丧嫁娶的开支都有规定的数额，由儿孙们分别掌管。”

愿得金带

【原文】

康定间，元昊寇边，韩魏公领四路招讨，驻延安。忽夜有人携匕首至卧内，遽褰帏帐，魏公问：“谁何？”曰：“某来杀谏议。”又问曰：“谁遣汝来？”曰：“张相公遣某来。”盖是时也，张元夏国正用事也。魏公复就枕曰：“汝携予首去。”其人曰：“某不忍，愿得谏议金带，足矣！”遂取带而去。明日，魏公亦不治此事。俄有守陴卒扳城橹上得金带者，乃纳之。时范纯祐亦在延安，谓魏公曰：“不治此事为得体，盖行之则沮国威。今乃受其带，是堕贼计中矣。”魏公握其手，再三叹服曰："非琦所及也。"

【译文】

宋朝康定年间，韩琦为抵御元昊的侵犯，带四路军马讨伐，驻扎在延安。夜里忽然有人携着匕首来到韩琦的卧室，突然掀开帏帐。韩琦问道："你干什么？"对方回答道："我来杀你。"韩琦又问："是谁派你来的？"对方回答说："是张相公派我来的。"当时，张元正在西夏执政。韩琦重新躺下，说："你把我的头拿去吧！"那个人说："我不忍心杀你，把你的金带拿走就行了。"于是拿走了他的金带。第二天，韩琦也没有处理这件事。过了一会儿，守城墙的士兵在转动城墙上的大盾牌时捡到一根金带，韩琦于是收回了金带。当时范纯祐也在延安，他对韩琦说："不处理这件事十分得体，如果处理，就会有损于国家的威望。现在拿到了带子，越城墙的小贼就中计了。"韩琦握着他的手，再三佩服地说："这不是我韩琦所能想到的。"

恕可成德

【原文】

范忠宣公亲族有子弟请教于公，公曰："唯俭可以助廉，唯恕可以成德。"其人书于座隅，终身佩服。公平生自养无重肉，不择滋味粗粝。每退自公，易衣短褐，率以为常。自少至老，自小官至大官，终始如一。

【译文】

范忠宣公亲属中有一位子弟向他请教。他说："只有俭朴可以帮

助人保持廉洁，只有宽恕忍让可以帮助人成就道德。”这位子弟将这句话写在自己的座位角上，终身奉为格言。范忠宣公自己平生一顿饭不吃两种肉，对于饮食也从不挑剔。从官府回来以后，立即换上粗短衣服，习以为常。从小到老，从小官到大官，始终都是这样。

公诚有德

【原文】

荥阳吕公希哲，熙宁初监陈留税，章枢密粢方知县事，心甚重公。一日与公同坐，遽峻辞色，折公以事，公不为动。章叹曰：“公诚有德者，我聊试公耳。”

【译文】

荥阳吕希哲，宋朝熙宁初任陈留县的收税官。当时章粢正在陈留任知县，对吕希哲十分看重。一天，章楶与吕希哲坐在一起，言辞激烈地拿有关事情指责吕希哲，吕希哲始终不因此而发怒。章楶感叹地说：“您的确是道德高尚的人啊！我只是试试您而已。”

所持一心

【原文】

王公存极宽厚，仪状伟然。平居恂恂，不为诡激之行。至有所守，确不可夺。议论平恕，无所向背。司马温公尝曰：“并驰万马中能驻足者，其王存乎？”故自束鬓起家，以至大耋，历事五世而所持一心，屡更变故而其守如一。

【译文】

王存为人极为忠厚宽容，外表也很伟岸。他平时诚实恭顺，从来没有欺诈偏激的行为；对应该坚持的事情，却从不让步；评论人事时，中正平和，无所偏袒。司马光曾说：“万马奔腾中能够停下来立住脚的大概只有王存了。”从成年入仕一直到暮年，一生共侍奉过五位皇帝，忠心不变，屡经变故但是他却始终如一。

人服雅量

【原文】

王化基为人宽厚，尝知某州，与僚属同坐。

有卒过庭下，为化基喏而不及。幕职怒，召其卒笞之。化基闻之，笑曰："我不知其欲得一喏如此之重也。昔或知之，化基无及此喏，当以与之。"人皆伏其雅量。

【译文】

王化基为人宽容厚道，曾经任某州的知州，与同事和下属们坐在一起。有一位士兵从庭下经过，王化基和他打招呼，他没有回应。管事的人很恼火，用鞭子抽打了那位士兵。王化基听到这件事后，笑着说："我不知道打声招呼是如此严重的事。如果过去知道这一点，我就不必在那个时候打这个招呼了，而要在恰当的时候打招呼。"当时人都佩服他的度量。

终不自明

【原文】

高防初为澶州防御使张从恩判官，有军校段洪进盗官木造什物，从恩怒，欲杀之。洪进绐云："防使为之。"从恩问防，防即诬伏，洪进免死。乃以钱十千、马一匹遗防而遣之。防别去，终不自明，既又以骑追复之。岁余，从恩亲信言防自诬以活人命，从恩惊叹，益加礼重。

【译文】

高防当初任澶州防御使张从恩的判官，有个叫段洪进的军校偷了公家的木材去做家具，张从恩很气愤，想杀了他。段洪进欺哄说："是高防让我做的。”张从恩问高防，高防立即冤枉地承认，免除了段洪进的死罪。于是张从恩拿了十千钱、一匹马送给高防，把他打发走了。高防告别离去，最终也不辨明自己的冤枉，后来张从恩又派人骑马将高防追回来。过了一年多，张从恩的亲信说高防自己认罪是为了救人一命。张从恩很惊叹，更加器重高防。

户曹长者

【原文】

长乐陈希颖，至道中为果州户曹。有税官无廉称，同僚虽切齿而不言，独户曹数之大义责之，冀其或悛，已而有他陈。后税官秩满，将行，厅之小吏持其贪墨状于郡曰：“行箧若干，各有字号。某字号其箧，皆金也。”郡将甚怒，以其事付户曹，俾阴同其行，则于关门之外，罗致其所状字箧验治之，闻者皆为之恐。户曹受命，不乐曰：“夫当其人居官之时不能惩艾，而使遂其奸。今其去者，反以巧吏之言害其长，岂理也哉！”因遣人密晓税官，曰：“吾不欲以持讦之言危君事，无当自白，不则早为之所。”税官闻之，乃易置行李，乱其先后之序。既行，户曹与吏候于关外，俾指示其所谓有金者，拘送之官，他悉纵遣之。及造郡亭，启视，则皆衣食也。郡将释然，税官得以无事去郡。人翕然称户曹为长者，而户曹未尝有德色也。

【译文】

长乐的陈希颖，至道年中任果州户曹。该州有一名税官不廉洁，同僚们虽然恨他却不说出来，只有陈希颖以大义责备他，希望他能有所悔改，不久他们之间就产生了隔阂。后来税官任期满，准备离去，他手下的一个小官吏拿着税官贪污的清单向郡守告状，说：“税官的行李有若干个箱子，都编了序号，而其中的某号箱子都是金子。”郡守很愤怒，把这事交给陈希颖处理，叫他暗中跟踪税官，到关门外就按状上的字号检查箱子并惩罚他。听到的人都为税官感到害怕。陈希颖接受命令后，不高兴地说：“当他做官时不惩治他，而使他犯下罪行。如今他要离去了，反而因奸巧小吏的话来祸害上司，真是岂有此理！”就派人偷偷告诉税官说：“我不想因别人说你的坏话而伤害你，如果没有此事就应该辩解清楚，如果有就应当早做安排。”税官听到后，就调换行李箱的东西，打乱原先的顺序。税官出发后，陈希颖和小吏在关外守候，把指示的所谓有金子的箱子扣下来送往官府，其余的箱子全部放行。等到了郡守那里，打开一看，都是衣服食物。郡守息怒了，税官得以无事离开。人们都异口同声地称赞陈希颖是忠厚之人，而他却没有显示出对人有恩的神色。

逾年后杖

【原文】

曹侍中彬，为人仁爱多恕。尝知徐州，有吏犯罪，既立案，逾年然后杖之，人皆不晓其旨。

彬曰："吾闻此人新娶妇，若杖之，彼其舅姑必以妇为不利而恶之，朝夕笞骂，使不能自存。吾故缓其事而法亦不赦也。"其用志如此。

【译文】

侍中曹彬，为人仁爱，多宽恕别人的过失。任徐州太守时，有个官吏犯罪，已经立了案，过了一年才杖罚他，别人都不知道曹彬这样做的用意。曹彬说："我听说这个人刚娶媳妇，如果杖罚他，新媳妇的公婆一定会认为是媳妇带来的坏运气而厌恶新媳妇，早晚打骂她，使她难以活命。所以我有意延缓了处置他的时间而又没违反法律。"他的用意就是这样良苦。

终不自辩

【原文】

蔡襄尝饮会灵东园，坐客有射矢误中伤

人者，客剧指为公矢，京师喧然。事既闻，上以问公，公再拜愧谢，终不自辩，退以未尝以语人。

【译文】

蔡襄曾经在会灵东园饮酒，席间一位坐客射箭误伤了一位游人，坐客立即指着说是蔡襄的箭，京城里一时都纷纷传扬这件事。皇帝听说后问蔡襄，蔡襄只是叩头请求原谅，始终不替自己辩白，回来以后也没有告诉别人。

自择所安

【原文】

张文定公齐贤，以右拾遗为江南转运使。一日家宴，一奴窃银器数事于怀中，文定自帘下熟视不问尔。后文定晚年为宰相，门下厮役往往侍班行，而此奴竟不沾禄。奴隶间再拜而告曰："某事相公最久，凡后于某者皆得官矣。相公独遗某，何也？"因泣下不止。文定悯然语曰："我欲不言，尔乃怨我。尔忆江南日盗吾银器数事乎？我怀之三十年不以告人，虽尔亦不知也。吾备位宰相，进退百官，志在激浊扬清，敢以盗贼荐耶？念汝事吾日久，今予汝钱三百千，汝其去吾门下，自择所安。盖吾既发汝平昔之事，汝其有愧于吾而不可复留也。"奴震骇，泣拜而去。

【译文】

文定公张齐贤，以右拾遗升任江南转运使。一天举行家宴，一个仆人偷了若干件银器藏在怀里，张齐贤在门帘后看得清清楚楚，却不过问。后来，张齐贤晚年任宰相，他家的仆人很多也做了官，只有那位仆人竟没有得到官职俸禄。这个奴仆乘空闲时间跪在张齐贤面前说："我侍奉您时间最长，比我后来的人都已经得了官职，您为什么独独忘了我呢？"于是哭泣不停。张齐贤同情地说："我本来不想说，你竟然怨恨我。你还记得我们在江南时你偷盗若干件银器的事吗？我将这件事藏在心中近三十年没有告诉过别人，即使你自己也不知道。我现在位居宰相，任免官员，志在斥退贪官污吏，激励贤人良士，怎能推荐一个小偷做官呢？看在你侍奉了我很长时间，现在给你三十万钱，你还是离开我这儿，自己选择一个地方安家吧。因为我既然揭发这件过去的事，你也必然有愧于我而无法再留下了。"仆人十分震惊，哭着拜别而去。

称为善士

【原文】

曹州于令仪者，市井人也，长厚不忤物，晚年家颇丰富。一夕，盗入其家，诸子擒之，乃邻舍子也。令仪曰："尔素寡过，何苦而盗耶？""迫于贫尔。"问其所欲，曰："得十千足以资衣食。"如其欲与之。既去，复呼之，盗大惧，语之曰："尔贫甚，负十千以归，恐为逻者所诘。"留之至明使去。盗大恐惧，率为良民。邻里称君为善士。君择子侄之秀者，起学室，延名儒以掖之，子及侄杰效，继登进士第，为曹南令族。

【译文】

曹州于令仪，本是市民，为人忠厚，从不与物相忤，晚年家境颇为富裕。一天晚上，有小偷到他家行窃，于令仪的儿子们抓住了小偷，原来是邻居的儿子。令仪问他道："你平时很少做坏事，何苦做小偷呢？"那人回答说："都是贫穷逼的。"问他需要什么，小偷回答说："有一万钱就足以买食物和衣服了。"令仪按照他要求的数目给了他。小偷刚走，令仪又叫他回来，小偷很害怕，令仪对他说："你十分贫穷，晚上却背着一万钱回去，我担心巡逻的人会盘问你。"于是将小偷留到天亮才打发他走。小偷十分惶恐，终于成了良民。邻居乡里都称令仪是好人。令仪选择子侄中的优秀者，办了学校，请有名望的先生来执教。儿子伋、侄子杰、效，陆续考中了进士，成为曹州以南的望族。

得金不认

【原文】

张知常在上庠日，家以金十两附致于公，同舍生因公之出，发箧而取之。学官集同舍检索，因得其金。公不认，曰："非吾金也。"同舍生至夜袖以还公，公知其贫，以半遗之。前辈谓公遗人以金，人所能也；仓卒得金不认，人所不能也。

【译文】

张知常在太学读书的时候，家里给了十两金子让别人带去，同寝室的人看到张知常不在，就敲开箱子，把金子拿走了。学校的官吏招集同寝舍的人进行搜查，搜到了金子，张知常却不承认是自己的，说："这不是我的金子。"同寝室的人趁夜晚将金子放在衣袖中归还给张知常，张知常知道他很贫困，送了一半金子给他。前辈们说张知常送人金子，这是可以做到的；但是匆忙中搜出金子却不认，这是一般人所做不到的。

一言齑粉

【原文】

丁晋公虽险诈，亦有长者之言。仁庙尝怒一朝士，再三语及公，不答，上作色曰："叵耐，问辄不应。"谓徐奏曰："雷霆之下，更有一言，则齑粉矣。"上重答言。

【译文】

晋国公丁谓虽然阴险奸滑，但有时候也讲出一些长者的话。宋仁宗曾经对一位官员十分恼火，再三地同丁谓说，丁谓都不答话。皇帝恼怒地说："你真能忍耐，我问话你总是不回答。"丁谓慢慢地说："在您大发雷霆之时，我再说一句话，那位官吏就可能会被捻成粉末了。"皇帝对他的回答十分看重。

无入不自得

【原文】

患难，即理也。随患难之中而为之计，何有不可？文王囚羑里而演《易》，若无羑里也；孔子围陈蔡而弦歌，若无陈蔡也。颜子箪食瓢饮而不改其乐，原宪衣敝履穿而声满天地。至夏侯胜居桎梏而谈《尚书》，陆宣公谪忠州而作集。验此无他，若素生患难而安之也！《中庸》曰：“君子无入而不自得焉。”是之谓乎？

【译文】

人生总会遇到患难，这是自然的道理。虽然处在患难中却能做自己的事，有什么不可以的呢？周文王被关在羑里时推演了《周易》，好像没有羑里这个地方；孔子被围困在陈国和蔡国，却弹琴唱歌，好像没有什么陈国和蔡国。颜回用竹筐吃饭、木瓢喝水，却仍然保持快乐；原宪衣衫破旧、鞋子破烂，却能声誉满天下。夏侯胜在监狱中而大谈《尚书》，陆贽被贬到忠州而作诗文集。对照这些都是一个道理，好像他们是一直处在患难中而安之若素。《中庸》说："君子在任何地方都能自得其乐。"说的就是这个道理吧？

不若无愧而死

【原文】

范忠宣公奏疏，乞将吕大防等引赦原放，辞甚恳，至忤大臣章惇，落职知随。公草疏时，或以难回触怒为解，万一远谪，非高年所宜。公曰："我世受国恩，事至于此，无一人为上言者。若上心遂回，所系非小。设有不从，果得罪死，复何憾！"命家人促装以俟谪命。公在随几一年，素苦目疾，忽全失其明。上表乞致仕，章惇戒堂吏不得上，惧公复有指陈。终移上意，遂贬武安军节度副使，永州安置。命下，公怡然就道。人或谓公为近名，公闻而叹曰："七十之年，两目俱丧，万里之行，岂其欲哉！但区区爱君之心不能自已。人若避好名之嫌，则为善之路矣。"每诸子怨章惇，忠宣必怒止之。江行赴贬所，舟覆，扶忠宣出，衣尽湿，顾诸子曰："此岂章惇为之哉？"至永州，公之诸子闻韩维少师谪均州，其子告惇以少师执政，日与司马公议论，多不合，得免行。欲以忠宣与司马公议役法不同为言求归，白公。公曰："吾用君实，荐

以至宰相，同朝论事即可，汝辈以为今日之言不可也。有愧而生，不若无愧而死。”诸子遂止。

【译文】

范纯仁上书给皇上，请求将吕大防等人赦免，并官复原职，言辞非常恳切，以至触怒了大臣章惇，被贬为随州知州。当范纯仁起草奏书时，有人对范纯仁说，万一触怒了皇上而贬职流放，不是你这么大年纪受得了的。范纯仁说：“我家世代受到朝廷的恩惠，事情到了这个地步，没有一个人上书给皇上。如果皇上回心转意，关系就非同小可。如果皇上不听，我真获罪而死，又有什么遗憾呢。”他命令家人赶快打点好行装等候流放的命令。范纯仁平时就有眼病，在随州将近一年，突然完全失明，上表请求辞职。章惇告诫堂吏不要把奏章送上去，担心范纯仁又要借此议论朝政。章惇最终使皇上改变心意，贬范纯仁为武安军节度副使，安置在永州。贬谪令下来后，范纯仁很平静地上路了。有人说范纯仁是为了出名，范纯仁听到后叹息说：“我都七十岁了，两只眼睛都已失明，这贬谪万里之外的苦楚，难道是我想要的吗？只是我忠爱君主的心实在不能克制，人如果避开了好名的嫌疑，就是为善的道路了。”每次当儿子们埋怨章惇时，范纯仁必定生气地制止他们。他在乘船过江到贬所去的路上，船翻了，儿子们扶他出来，衣服全湿了，他回头对儿子们说：“这难道也是章惇做的吗？”到了永州，范纯仁的儿子们听说韩少师被贬均州，但韩少师的儿子告诉章惇，说韩少师在执政时每天和司马光议论，但大多意见不合，于是得以免行。因而也想以范纯仁和司马光当初对役法有不同看法为理由请求回到京城，并对范纯仁说了。范纯仁说：“我启用司马光，举荐他为宰相，只是和他同朝论事，照你们今天说的话去做是不可以的。与其怀着惭愧活着，不如没有惭愧地死去。”他的儿子们于是就打消了这个主意。

未尝含怒

【原文】

范忠宣公安置永州，课儿孙诵书，躬亲教督，常至夜分。在永州三年，怡然自得，或加以横逆，人莫能堪，而公不为动，亦未尝含怒于后也。每对宾客，唯论圣贤修身行己，余及医药方书，他事一语不出口。而气貌益康宁，如在中州时。

【译文】

范纯仁被贬永州时，每天教儿孙们读书，并亲自教育督促，常常到半夜。在永州生活的三年里，范纯仁怡然自得。有人对他施加横暴，别人都不能忍受，而他不为所动，事后也不发怒。每次应对宾客，只谈圣贤如何修身养性，其余的就是谈些医药方面的书，其他事一句话也不说。而他的气色与外表更加安康宁静，和在京城时一样。

谢罪敦睦

【原文】

缪彤少孤，兄弟四人皆同财业。及各人娶妻，诸妇分异，又数有斗争之言。彤深怀愤，乃掩户自挝，曰："缪彤，汝修身谨行，学圣人之法，将以齐整风俗，奈何不能正其家乎？”弟及诸妇闻之，悉叩头谢罪，遂更相敦睦。

【译文】

缪彤少年时父母双亡，四兄弟都生活在一起。等到各人娶妻，几个妯娌互相不合，又多次吵架。缪彤很气愤，就掩上家门自己打自己，说：“缪彤，你修身养性，行为谨慎，学习圣人的礼法，希望将来能整顿天下风气，怎么连自己的家也整顿不好呢？”兄弟和妯娌们听到了，都叩头谢罪，于是相互间更加和睦了。

【原文】

虞世南曰：“十斗九胜，无一钱利。”

【译文】

虞世南说：“打十次架，胜九次，也没有一点好处。”

【原文】

韩魏公在政府时，极有难处置事。尝言天

下事无有尽如意，须是要忍，不然，不可一日处矣。公言往日同列二三公不相下，语常至相击。待其气定，每与平之，以理使归，于是虽胜者亦自然不争也。

【译文】

韩琦在官府时，常有很难处理的事。他曾说，世上没有尽如人意的事情，必须要忍让，不然，就一天也待不下去。他还说过，从前两三个同僚，相互瞧不起，说话常常引起互相攻击。等到他们气消了，常常给他们公正地指出是非，一切以合理为旨归。于是，即使获胜的人也不再争了。

【原文】

王沂公尝言，吃得三斗酽醋，方得做宰相。尽言忍受得事也。

【译文】

王曾曾经说过，能喝三斗醇醋的人，才能做宰相。这是说要忍受一切事情。

【原文】

赵清献公座右铭：待则甚壹，任他怎奈何，休理会。人有不及，可以情恕；非意相干，可以理遣。盛怒中勿答人简，既形纸笔，溢流难收。

【译文】

清献公赵抃有这样的座右铭：对待别人要言行一致，随便他怎么办，不要去理会。别人有做得不好的地方，要从感情上宽恕他；不是有意冒犯,可以用道理来排遣。人在盛怒的时候,不要动笔给人写信,将愤怒的话写在纸上后,就像泼出去的水一样难以收回。

【原文】

程子曰:“愤欲忍与不忍,便见有德无德。”

【译文】

程颐说过:“从一个人能不能克制愤怒与欲望,就可以判断他有没有道德修养。”

【原文】

张思叔绎诟詈仆夫,伊川曰:“何不动心忍性?”思叔惭谢。

【译文】

张绎责骂赶走仆人,程颐说:“你为什么不动之以心,忍耐自己的脾气呢?”张绎惭愧地认错。

【原文】

孙伏伽拜御史时,先被内旨而制未出,归卧家,无喜色。顷之,御史造门,子弟惊白,伏伽徐起见之。时人称其有量,以比顾雍。

【译文】

孙伏伽被任命为御史时,开始只是被召进宫中被告知,而任命的文书没有下达,他回到家中躺下,脸上没有喜色。一会儿,御史登门相告,他的子弟们惊喜地告诉他消息,孙伏伽慢慢起来去见那位御史。当时的人称赞他有雅量,把他和晋代的顾雍相比。

【原文】

白居易曰:“恶言不出于口,愤言不反于出。”

【译文】

白居易说:“伤害别人的话不能说,愤怒的话也不能向伤害你的人说。”

【原文】

《吕氏童蒙训》云:“当官处事,务合人情。忠恕违道不远,未有舍此二字而能有济者。前辈当官处事,常思有恩以及人,而以方便为上。如差科之行,既不能免,即就其间求所以便民省力者,不使骚扰重为民害,其益多矣。”

【译文】

《吕氏童蒙训》说:“当官处理事务,一定要合乎人情。忠厚宽恕离圣人之道不远,没有舍弃了‘忠’、‘恕’两字而能做成事情的。前辈们当官处理事情,往往考虑能使民众得到恩惠,而以能给人们带来方便为上策。如差役赋税,既然不能免除,就要在其中力求找到方便老百姓并能节省力气的方式,不骚扰老百姓而成为老百姓的祸害,这样做的好处很多。”

【原文】

张无垢云:“快意事孰不喜为?往往事过不能无悔者,于他人有甚不快存焉,岂得不动于心?君子所以隐忍详复,不敢轻易者,以彼此两得也。”

【译文】

张无垢说："痛快的事情谁不喜欢做呢？但是事情过去以后自己往往后悔，对其他人来说有没有什么不愉快呢？怎么能不无动于衷呢？君子之所以要再三容忍，反复考虑，不敢恣意妄为，就是为了自己和他人两个方面都能有所得啊。"

【原文】

或问张无垢："仓卒中、患难中处事不乱，是其才耶？是其识耶？"先生曰："未必才识了得，必其胸中器局不凡，素有定力。不然，恐胸中先乱，何以临事？古人平日欲涵养器局者，此也。"

【译文】

有人问张无垢："身处仓促之中和危难之时，却能有条不紊地处理事情，这是才能呢，还是胆识呢？"张无垢回答说："这恐怕不是才能和胆识所能做到的。一定是他气量过人，一向就有镇定从容的素质。不然的话，恐怕自己心中先乱了，怎么还能处理事情呢？古代的人平时注意培养自己的气量和襟怀，就是这个原因。"

【原文】

苏子曰："高帝之所以胜，项籍之所以败，在能忍与不能忍之间而已。项籍不能忍，是以百战百胜而轻用其锋；高祖忍之，养其全锋而待其弊。"

【译文】

苏轼说："汉高祖刘邦之所以胜利，项羽之所以失败，其区别就在

于能忍与不能忍。项羽不能忍耐，所以百战百胜之后而轻举妄动；刘邦能忍耐，养精蓄锐、磨砺锋芒以等待项羽的弊败出现。”

【原文】

孝友先生朱仁轨，隐居养亲，常诲子弟曰：“终身让路，不枉百步；终身让畔，不失一段。”

【译文】

朱仁轨隐居乡下，侍奉父母，常常教导他的子弟说：“一生都给别人让路，也不过就冤枉多走了几百步路；终身给别人让田地的边界，也不过就失去一小段。”

【原文】

吴凑，僚吏非大过不榜责，召至廷诘，厚去之。其下传相训勉，举无稽事。

【译文】

吴凑，下属没有大的过错，从不张榜斥责，而是将犯错的下属召到厅堂上盘问清楚，然后送给他一笔厚礼，让他离开。他的下属互相警戒勉励，再都没有拖沓的事情发生。

【原文】

《韩魏公语录》曰："欲成大节，不免小忍。"

【译文】

《韩魏公语录》上说："如果想养成高尚的节操，就要在小事上忍让。"

【原文】

《和靖语录》："人有愤争者，和靖尹公曰：'莫大之祸，起于须臾之不忍，不可不谨。'"

【译文】

《和靖语录》载："有人愤怒争斗时，尹和靖就说：'弥天大祸，就是从一时的不能忍让开始的，不能不谨慎啊。'"

【原文】

省心子曰："屈己者能处众。"

【译文】

省心子说："能委屈自己的人能够和众人融洽相处。"

【原文】

《吕氏童蒙训》："当官以忍为先，'忍'之一字，众妙之门，当官处事，尤是先务。若能清勤之外，更行一忍，何事不办？"

【译文】

《吕氏童蒙训》上说："当官应以忍为先。'忍'这个字，是众多道理的关键。当官办事，尤其要把'忍'放在最前面。如果能在保持清廉勤政之外，再能忍让，什么事情办不好呢？"

【原文】

当官不能自忍，必败。当官处事，不与人争利者，常得利多；退一步者，常进百步。取之廉者，得之常过其初；约于今者，必有重报于后。不可不思也。唯不能少自忍者，必败，实未知利害之分、贤愚之别也。

【译文】

当官不能自我忍耐，一定会失败。做官处事时，不同别人争夺利益的，得到的利益常常更多；能够首先退一步的，往往能进一百步。不求多得的，所得利益往往超过当初所想要的；现在克制的，将来必然有更大的回报。不能不认真考虑啊！只有那些不能稍微自我忍耐的，一定会失败，这实际上是不知道区分利害、辨别聪明和愚笨呀！

【原文】

戒暴怒。当官者先以暴怒为戒。事有不可，当详处之，必无不中。若先暴怒，只能自害，岂能害人？前辈尝言：凡事只怕待。待者，详处之谓也。盖详处之，则思虑自出，人不能中伤。

【译文】

戒除暴怒。当官的人，首先应当戒除暴怒。事情不能办的时候，应当慎重周详地处理，没有处理不好的。如果首先就发怒，只能害了自己，怎么会害到别人呢？前辈曾经说过：处理任何事情，只怕一个“待”字。待，就是指周详慎重地对待。如果周详慎重地对待，自己就会想出办法，别人也就不能中伤你了。

【原文】

《师友杂记》云：“或问荥阳公：‘为小言所詈骂，当何以处之？’公曰：‘上焉者，知人与己本一，何者为詈，何者为辱，自然无愤怒心。下焉者，且自思曰：我是何等人，彼为何等人，若是答他，却与他一等也。以此自比，愤心亦自消也。’”

【译文】

《师友杂记》载：“有人问荥阳公：‘被小人辱骂，应当怎么对待？’他说：‘上策是，明白别人与自己本来都是人，什么叫骂，什么叫辱，自然就没有愤怒的心情了。下策是，自己想一想，我是什么人，他是什么人，如果回应他，那不就成了他一类的人吗？用这个办法来克制自己，气愤之心也可以消除。’”

【原文】

唐充之云：“前辈说后生不能忍诟，不足为人；闻人密论不能容受而轻泄之，不足以为人。”

【译文】

唐充之说：“前辈认为，年轻人如果不能忍辱含垢，就不能成为完善的人；听到别人私下交谈不能保守秘密，而轻易地泄露出去，就不能称为人。”

【原文】

《袁氏世范》曰：“人言居家久和者，本于能忍。然知忍而不知处忍之道，其失尤多。盖忍或有藏蓄之意，人之犯我，藏蓄而忍，不过一再而已。积之逾多，其发也如洪流之决，不可遏矣。不若随而解之，不置胸次，曰此其不思尔，曰此其无知尔，曰此其失误尔，曰此其所见者小耳，曰此其利害宁几何？不使之入于吾心，虽日犯我者十数，亦不至形于言而见于色，然后见忍之功效为甚大。此所谓善处忍者。”

【译文】

《袁氏世范》称：“人们说能够长久和睦相处的家庭，其根本做法就是忍让。但是知道要忍让却不知道怎样忍让，那失误就更多。同样是忍让，有人却要记在心中，别人触犯我，我就把愤怒藏起来而不说，这样只不过一两次而已。如果积累的愤怒很多，那么一旦爆发起来，就像洪水冲决堤坝一样，不可阻挡了。这样还不如随时将气愤消解，不留在心中。说这个人是无心啦，说这个人是无知啦，说这大概是他弄错了，说是因为他识见不高，说这一点利害关系算得了什么呢？不把那个人放在自己的心中，即使他一天冒犯我十次，我也不会在言语上表现出气愤、神色间流露出不快，这样忍让的效果才会明显。这也才是真正的善于忍让。”

处家贵宽容

【原文】

自古人伦贤否相杂，或父子不能皆贤，或兄弟不能皆令，或夫流荡，或妻悍暴，少有一家之中无此患者。虽圣贤亦无如之何。譬如身有疮痍疣赘，虽甚可恶，不可决去，唯当宽怀处之。若人能知此理，则胸中泰然矣。古人所谓父子兄弟夫妇之间，人所难言者，如此。

【译文】

自古以来，人类就是贤人和愚人混杂在一起的，有的父亲和儿子不可能都很贤明，有的兄弟们不可能都成为人才，有的丈夫无所事事、放荡不羁，有的妻子凶悍、粗暴，很少有一家人没有这种或那种毛病的。即使是圣贤之人，对这些也无可奈何。这就如同身上长了疮痍肉赘，虽然十分可恶，但总不能剐掉，只有放宽心思去对待。如果人们能够知道这层道理，那么心胸就会泰然自若了。这就是古人所说的父子、兄弟、夫妇之间，人们难以说清的事。

忧患当明理顺受

【原文】

人生世间，自有知识以来，即有忧患不如

意事。小儿叫号，皆其意有不平。自幼至少，自壮至老，如意之事常少，不如意之事常多。虽大富贵之人，天下之所仰慕以为神仙，而其不如意事处，各自有之，与贫贱人无特异，所忧虑之事异耳。故谓之缺陷世界，以人生世间无足心满意者。能达此理而顺受之，则可少安矣。

【译文】

人生在世，自从有了思想以来，就有忧苦患难和不如意的事。小孩子哭叫，就是因为感到不如意。从幼年到少年，从壮年到老年，称心如意的事很少，而不如意的事很多。即使是大富大贵之人，天下人羡慕他们有如神仙，而他们也各自有不如意的地方，和贫贱的人没什么区别，只不过忧虑的事不同罢了。之所以将世界称之为缺陷世界，是因为人生在世没有心满意足的人。能够明白这个道理而坦然接受，就能稍微安心了。

同居相处贵宽

【原文】

同居之人有不贤者，非理以相扰，若间或一再，尚可与辩；至于百无一是，且朝夕以此相临，极为难处。同乡及同官，亦或有此，当宽其怀抱，以无可奈何处之。

【译文】

同不贤良的人居住在一起，他无缘无故来侵扰你，如果偶尔一两次，还可以和他辩白；至于百无一是的人，并且朝夕来侵扰，是极难和他相处的。同乡和同事中有时也会有这种人，只能放宽自己的胸怀，以无可奈何的态度来对待。

亲戚不可失欢

【原文】

骨肉之失欢，有本于至微，而终至于不可解者。有能先下气，则彼此酬复遂好平时矣。宜深思之。

【译文】

骨肉亲友之间失去友爱，有的只是缘于很小的事，而最终导致难以解决的矛盾。如果有人能先忍耐一下委曲求全，就能保持相互往来，如同当初一样友好。应当好好想一想这个道理。

待婢仆当宽恕

【原文】

奴仆小人就役于人者，天资多愚，且宽以处之，多其教诲，省其嗔怒，可也。

【译文】

受人差使的奴仆，天资大多愚笨，要对他们宽厚一些，多讲一些道理，少发脾气，这样才行。

事贵能忍耐

【原文】

人能忍，事易以习熟终，至于人以非理相加不可忍者，亦处之如常。不能忍，事亦易以习熟终，至于睚眦之怨深不足较者，亦至交詈争讼，期以取胜而后已，不知其所失甚多。人能有定见，不为客气所使，则身心岂不大安宁？

【译文】

能够忍让，事情很容易习惯成自然，以至于对那些不讲道理无法容忍的人，也能像平常一样与他相处。不能忍让，事情也很容易变成习惯，以至于对那些根本不值得计较的极小的怨恨，也会吵骂争辩，一直到能够取胜才罢休，却不知这样会失去很多。人如果有坚定的见解，不受外在原因引起的气愤所支配，那么身心不就很安宁了吗？

【原文】

《萧朝散家法》曰:“常持忍字免灾殃。”

【译文】

《萧朝散家法》说:“常常守住一个忍字,就能够免除灾祸。”

王龙舒劝诫

【原文】

喜怒、好恶、嗜欲,皆情也。养情为恶,纵情为贼,折情为善,灭情为圣。甘其饮食,美其衣服,大其居处,若此之类,是谓养情;饮食若流,衣服尽饰,居处无厌,是谓纵情。犯之不授,触之不怒,伤之不忍,过事甚喜。

【译文】

喜怒、好恶、嗜欲,都发乎于情感。培养情欲是恶,放纵情欲是贼,克制情欲是善,断绝情欲是圣。吃可口的食物,穿华美的衣服,住宽大的房屋,像这些,都是培养情欲;饮食上的花费如同流水,衣服都经过装饰,对住房的讲究贪得无厌,这些都是放纵情欲。被人冒犯不计较,遭人侵凌不发怒,伤害了自己也不忍心报复,待事情过去以后,就很有好处了。

【原文】

张文定公曰:“谨言浑不畏,忍事又何妨?”

【译文】

张文定公说过:“言语谨慎而全无畏惧,容忍一些事情又有什么妨碍呢？”

【原文】

孔旻曰：“盛怒剧炎热，焚和徒自伤。触来勿与竞，事过心清凉。”

【译文】

孔旻说：“极端愤怒像烈火，烧掉了和气又白白地伤害了自己。不如他人无理来犯时不与之争斗，事情过去以后心情自然会平静下来。”

【原文】

山谷诗曰：“无人照此心，忍垢待濯盥。”

【译文】

黄庭坚诗说：“没有人知道我的心思，忍辱含垢，靠自身修养来涤清心境。”

【原文】

东莱吕先生诗云：“忍穷有味知诗进，处事无心觉累轻。”

【译文】

东莱的吕祖谦写诗说：“忍受贫困也有滋味，能够使诗歌进步；对待事情不太计较，就会觉得负担很轻。”

【原文】

陆放翁诗云：“忿欲至前能小忍，人人心内有期颐。”

【译文】

陆游写诗说："在愤怒和欲望面前要能稍微忍受，因为人人心里都有百岁之寿的愿望。"

【原文】

又曰："殴攘虽快心，少忍理则长。"

【译文】

陆游又说："打一架虽然一时很痛快，但稍微忍让一下就会增加自己的理智。"

【原文】

又曰："小忍便无事，力行方有功。"

【译文】

陆游又说："稍微忍让一下就没事情了，尽力去做才会取得成功。"

【原文】

省心子曰："诚无悔，恕无怨，和无仇，忍无辱。"

【译文】

省心子说："诚实就不会后悔，宽容就不会有怨气，和气就不会结仇，忍让就不会受侮辱。"

【原文】

释迦佛初在山中修行，时国王出猎，问兽所在。若实告之则害兽，不实告之则妄语，沉吟未对。国王怒，斫去一臂。又问，亦沉吟，又斫去一臂。乃发愿云："我作佛时，先度此人，不使天下人效彼为恶。"存心如此，安得不为佛！后出世果成佛，先度憍陈如者，乃当时国王也。

【译文】

释迦牟尼当初在山里修行，当时国王率领人来打猎，问释迦牟尼哪个地方有野兽。如果如实相告，就害死了野兽；如不如实相告，又是说假话。正在思考如何回答，国王发了怒，砍掉了他的一只手臂。问第二次，仍在沉思，又砍掉了他的另一只手臂。释迦牟尼于是发下誓愿："等我成佛以后，一定要先将这个人超度，不让天下的人仿效他做坏事。"他能存有这种心思，怎么能不成佛呢？后来释迦牟尼出世成佛，最先超度的憍陈如，就是当时的国王。

【原文】

佛曰："我得无诤三昧，最为人中第一。"又曰："六度万行，忍为第一。"

【译文】

释迦牟尼说："我得到了'不争'的真髓，这可以说是人第一要掌握的。"又说："六种超度方式，各种行为中，忍让是最重要的。"

【原文】

《涅槃经》云："昔有一人，赞佛为大福德。相闻者乃大怒，曰：'生才七日，母便命中，何者为大福德？'相赞者曰：'年志俱盛而不卒，

暴打而不瞋，骂亦不报，非大福德相乎？’怒者心服。”

【译文】

《涅槃经》记载：“过去有一个人，称赞佛是大福德之人。听到这话的人很愤怒，说：‘佛的母亲生下佛，七天便去世了，还叫大福德吗？’赞佛的人回答说：‘年龄与思想都在鼎盛的时候却不急躁，挨人暴打却不发怒，人家骂也不回骂，这难道不叫大福德吗？’发怒的人心服了。”

【原文】

《人趣经》云：“人为端正，颜色洁白，姿容第一，从忍辱中来。”

【译文】

《人趣经》说：“做人品行端正，面容洁白，姿容美好，这些都要从忍让中才能得到。”

【原文】

《朝天忏》曰：“为人富贵昌炽者，从忍辱中来。”

【译文】

《朝天忏》说："人之所以富贵昌盛，都是从忍辱中得来的。"

【原文】

紫虚元君曰："饶、饶、饶，万祸千灾一旦消；忍、忍、忍，债主冤家从此尽。"

【译文】

紫虚元君说："饶恕、饶恕、饶恕，千万灾祸就会很快消失；忍让、忍让、忍让，债主和冤家从此不再有。"

【原文】

赤松子诫曰："忍则无辱。"

【译文】

赤松子告诫说："忍让就没有耻辱。"

【原文】

许真君曰："忍难忍事，顺自强人。"

【译文】

许真君说："忍受难以容忍的事，顺从特别好强的人。"

【原文】

孙真人曰："忍则百恶自灭，省则祸不及身。"

【译文】

孙真人说："忍耐就能使各种恶行自行消灭，反省自己祸事就会远离。"

【原文】

超然居士曰："逆境当顺受。"

【译文】

超然居士说："人处在恶劣的境遇中，应当尽力忍受。"

【原文】

谚曰："忍事敌灾星。"

【译文】

谚语说："忍让可以对付灾难。"

【原文】

谚曰："凡事得忍且忍，饶人不是痴汉，痴汉不会饶人。"

【译文】

谚语说："遇到该忍让的事权且忍让一下，饶恕别人的人并不是愚笨的人，愚笨的人是不会饶恕别人的。”

【原文】

谚曰：“得忍且忍，得戒且戒。不忍不戒，小事成大。”

【译文】

谚语说：“应当忍让的时候就要忍让，需要防备的时候就要防备。不忍让不防备，小的事情就会变成大的事情。”

【原文】

谚曰：“不哑不聋，不做大家翁。”

【译文】

谚语说：“不能装哑装聋的人，做不了大家庭的家长。”

【原文】

谚曰：“刀疮易受，恶语难消。”

【译文】

谚语说：“被刀砍伤还容易忍受，恶语伤人则很难消解。”

【原文】

少陵诗曰：“忍过事堪者。”此皆切于事理，为此大法，非空言也。

【译文】

杜甫诗说：“忍让一下事情就过去了。”这很切合事理，可作为行事的准则，不是空谈。

【原文】

《莫争打》诗曰："时闲愤怒便引拳，招引官方在眼前。下狱戴枷遭责罚，更须枉费几文钱。"

【译文】

《莫争打》诗说："闲暇时一愤怒就挥拳相向，结果招来了官府人员来管制。关进监狱戴上刑具遭受惩罚，还要冤枉花费一笔金钱。"

【原文】

《误触人脚》诗曰："触了行人脚后跟，告言得罪我当烹。此方引慝丘山重，彼却厚情羽发轻。"

【译文】

《误触人脚》诗说："碰了走路人的脚后跟，应当告诉他'得罪了'并说我真该死。你这一方将罪过说得重如大山，他那一方一定会宽厚相待，把你的触犯看得轻如鸿毛。"

【原文】

《莫应对》诗曰："人来骂我逞无明，我若还他便斗争。听似不闻休应对，一支莲在火中生。"

【译文】

《莫应对》诗说："别人怒气冲冲来骂我愚笨，我如果回骂必然会导致争斗。听到了却装作没有听见而不回口，一朵吉祥的莲花就会在烈火之中绽放。"

【原文】

杜牧之《题乌江亭》："胜败兵家事不期，包羞忍耻是男儿。江东子弟多才俊，卷土重来未可知。”

【译文】

杜牧《题乌江亭》诗说：“兵家打仗胜负难以预料，暂时能蒙羞忍辱才是真正的男子汉。江东的子弟中有很多英豪俊杰，卷土重来也说不定。”

【原文】

《诫断指诗》曰：“冤屈休断指，断了终身耻。忍耐一些时，过后思之喜。”

【译文】

《诫断指诗》称：“受了冤屈千万不要一气之下斩断手指，手指断了一生都是耻辱。忍耐一段时间，事情过去以后就高兴了。”

【原文】

何提刑《戒争地诗》：“他侵我界是无良，我与他争未是长。布施与他三尺地，休夸谁弱又谁强。”

【译文】

何提刑写了一首《戒争地诗》说：“别人侵占我的地界的确不是好人，我如果与他争斗也不是好办法。施舍给他三尺地盘，不要比较谁弱谁强。”

劝忍百箴

笑谄淫侈之忍

笑之忍第一

【原文】

乐然后笑，人乃不厌。笑不可测，腹中有剑。

虽一笑之至微，能召祸而遗患。齐妃笑跛而郤克师兴，赵妾笑躄而平原客散。

蔡谟结怨于王导，以犊车之轻诋；子仪屏去左右，防鬼貌之卢杞。

人世碌碌，谁无可鄙？冯道《兔园策》，师德田舍子。噫，可不忍欤！

【译文】

因为快乐然后发笑，别人就不会讨厌他。卢杞的笑声神秘不可猜测，因为他口蜜腹剑。

即使是笑这么微小的事，也可能招来祸害而留下遗患。齐顷公的母亲嘲笑晋国郤克的跛腿而导致两国发生战争，赵国平原君的爱妾嘲笑瘸腿的跛子而致平原君的宾客都离他而去。

蔡谟和王导结怨是因为蔡谟以牛车为话题开了个小玩笑；郭子仪屏去左右妻妾，以防得罪相貌丑陋的卢杞。

人世间大多是碌碌庸人，谁没有令人讨厌的地方？冯道因《兔园策》的玩笑贬了刘岳的官，娄师德并没有因为李昭德说他是庄稼汉而记恨在心。唉，怎么能不忍呢？

谄之忍第二

【原文】

上交不谄，知几其神。巧言令色，见谓不仁。孙弘曲学，长孺面折，萧诚软美，九龄谢绝。郭霸尝元忠之便液，之问奉五郎之溺器，朝夕挽公主车之履温，都堂拂宰相须之丁谓。书之简册，千古有愧。噫，可不忍欤！

【译文】

和地位高的人交往不阿谀奉承，是懂得了交友的关键。花言巧语，善于察言观色，只能被称为不仁的人。

公孙弘曲学阿世，汲黯当面指责皇帝的过失，萧诚和软善于美言，张九龄和他断绝交往。

郭弘霸品尝魏元忠的小便，宋之问捧着张易之的便壶，赵履温早晚为公主拉车，丁谓在都堂上为宰相寇准拂去胡须上的汤渍。这些都被记录在史册上，博得千古耻笑。唉，怎么能不忍呢？

淫之忍第三

【原文】

淫乱之事，易播恶声。能忍难忍，谥之曰贞。路同女宿，至明不乱；邻女夜奔，执烛待旦。宫女出赐，如在帝右；西阁十宵，拱立至晓。下惠之介，鲁男之洁。日磾彦回，臣子大节。百世之下，尚鉴风烈。噫，可不忍欤！

【译文】

淫乱的事情，容易给人带来坏的名声。能够忍受常人难以克制的欲望，最终将这人追谥为贞。

柳下惠在路上和女人同宿一处，一直到天亮都不曾淫乱；邻家女子夜里跑来投宿，颜叔子手持蜡烛直到天亮。

面对皇帝所赐的宫女，金日磾一本正经得如同在皇帝身边一样；褚渊与公主在西上阁共处了十个晚上，每晚都恭敬地站着到天亮。

柳下惠的正直，鲁国男子的纯洁，金日磾、褚渊作为臣子的高风亮节，百世以来，还为人之楷模。唉，怎么能不忍呢？

侈之忍第四

【原文】

天赋于人，名位利禄，莫不有数。人受于天，服食器用，岂宜过度？乐极而悲来，祸来而福去。

行酒斩美人，锦幛五十里，不闻百年之石氏；人乳为蒸豚，百婢捧食器，徒诧一时之武子。史传书之，非以为美，以警后人，戒此奢侈。

居则歌童舞女，出则摩辖结驷。酒池肉林，淫窟屠肆。三辰龙章之服，不雨而霤之第。

厮养傅翼之虎，皂隶人立之豕，僭拟王侯，薰炙天地。

鬼神害盈，奴辈利财。巢覆卵破，悔何及哉？噫，可不忍欤！

【译文】

上天赋予个人的名位利禄都是有定数的。人从上天接受的衣服、食物、器皿、用具怎么能不加节制而挥霍无度呢？快乐超过极限，悲伤就会接踵而来；祸患来临，幸福就会离人而去。

石崇命美人为客人劝酒没有成功，就将其杀掉；设置五十里的锦幛，石崇的奢侈使他亡身亡家。王济用人乳调味蒸猪，成百的婢女捧着食器，让人惊诧于一时。史书记载这些，并不是为了赞赏他们，而是用以警醒后人，戒除奢侈的恶习。

在家则有歌童舞女相伴，出门则车马成群。以酒为池，以肉为林，住所像淫窟，厨房像屠场。身上穿着绣有日月星三辰和龙的图案的华贵衣服，住着不下雨却安装了漏雨设施的宅第。

豢养的奴仆好像插上翅膀的老虎一样凶残，跟班好像站立起来的野猪一样横暴。这些人僭越礼节好比王侯，气焰嚣张直冲天地。

鬼神会降祸害给那些奢侈自满的人，奴仆也会见利忘义。有朝一日巢被打翻，蛋也会摔破，后悔哪能来得及呢？唉，怎么能不忍呢？

言食声乐之忍

言之忍第五

【原文】

恂恂便便，侃侃訚訚，忠信笃敬，盍书诸绅？讷为君子，寡为吉人。

乱之所生也，则言语以为阶。口三五之门，祸由此来。

《书》有起羞之戒，《诗》有出言之悔；天有卷舌之星，人有缄口之铭。

白珪之玷尚可磨，斯言之玷不可为。齿颊一动，千驷莫追。噫，可不忍欤！

【译文】

恭顺谨慎，说话明白畅达，刚强正直，和悦而敢诤；竭心尽力，诚实不欺，忠厚严肃，始终如一。我们为什么不把孔子对弟子的告诫写在束衣的带子上，以做警示呢？说话迟钝的是君子，说话很少的是吉祥之人。

祸乱的产生是以言语作阶梯的，口本来是用来颂扬日、月、星三辰和宣扬五行的，而祸患就是从这里产生的。

《尚书》中有言语产生羞辱的告诫，《诗经》中有说错话的悔恨；天上有卷舌星以警戒说坏话和花言巧语的人，人间有铜铸人像背后闭口不说话的铭文。

白珪上有斑点还可以通过打磨使它变得光洁，言论上有了过失就没有办法补救了。话一说出口，四千匹马也追不上。唉，怎么能不忍呢？

食之忍第六

【原文】

饮食，人之大欲。未得饮食之正者，以饥渴之害于口腹。

人能无以口腹之害为心害，则可以立身而远辱。

鼋羹染指，子公祸速；羊羹不遍，华元败衄。

觅炙不与，乞食目痴，刘毅未贵，罗友不羁。

舍尔灵龟，观我朵颐，饮食之人，则人贱之。

噫，可不忍欤！

【译文】

吃饭喝水，是人最大的欲望。不能体会饮食真正味道的人，是因为饥饿口渴使口腹感觉遭到了破坏。

人如果能做到不把口腹由饥渴而受的伤害当做对心灵的伤害，就可以立身行事而远离耻辱。

郑国子公因用手指醮点甲鱼汤，随即遭遇灾祸；宋国华元因战前未给车夫分食羊肉，以致战场上遭遇陷害被擒。

刘毅没有显贵之前，曾经向人求烤肉而没有得到；罗友放任不羁，被人认为是讨饭的白痴。

舍弃自己灵龟一般的智慧，却观望别人大快朵颐的样子，只注重饮食的人会被人看不起。唉，怎么能不忍呢？

声之忍第七

【原文】

恶声不听，清矣伯夷；郑声之放，圣矣仲尼。

文侯不好古乐，而好郑卫；明皇不好奏琴，乃取羯鼓以解秽。虽二君之皆然，终贻笑于后世。

霓裳羽衣之舞，玉树后庭之曲，匪乐实悲，匪笑实哭。

身享富贵，无所用心，买妓教歌，日费万金，妖曲未终，死期已临。噫，可不忍欤！

【译文】

不听邪恶不正的音乐，伯夷堪称清高的人；禁绝郑国的淫乐，仲尼堪称是圣人。

魏文侯不爱好古代的优雅音乐，而爱好郑卫的靡靡之音；唐明皇不爱好弹琴，而用羯鼓来解闷。两位君主都是这样，终不免被后世的人所讥笑。

像《霓裳羽衣舞》这样的舞蹈,《玉树后庭花》这样的曲子,给人带来的不是快乐而是悲伤,不是欢笑而是悲泣。

西晋的石崇享受着富贵荣华的生活,什么事都不用操心,买来歌妓教她们歌舞,每天花费上万金。妖媚的歌曲还没有结束,自己的死期已经来临。唉,能不忍受声色的诱惑吗!

乐之忍第八

【原文】

音聋色盲,驰骋发狂,老氏预防。
朝歌夜弦,三十六年,嬴氏无传。
金谷欢娱,宠专绿珠,石崇被诛。
人生几何,年不满百;天地逆旅,光阴过客。若不自觉,恣情取乐,乐极悲来,秋风木落。噫,可不忍欤!

【译文】

五音会使人耳朵变聋,五色会使人眼睛变瞎,驰骋打猎会让人发狂,这是老子对人们的告诫。

白天歌舞,晚上奏乐,秦嬴氏只执政了三十六年便断代了。

石崇在金谷园中纵情欢笑娱乐,宠爱绿珠,最终被杀。

人的生命能有多长?才不足百年时光;天地只是暂时的旅舍,光阴只是匆匆的过客。如果不自我警醒而恣意享乐,就会乐极生悲,如同秋风吹落的枯叶。唉,怎么能不忍呢?

酒色贪气之忍

酒之忍第九

【原文】

禹恶旨酒，仪狄见疏。周诰刚制，群饮必诛。窟室夜饮，杀郑大夫。勿夸鲸吸，甘为酒徒。布烂覆瓿，箴规凛然；糟肉堪久，狂夫之言。

司马受竖榖之爱，适以为害；灌夫骂田蚡之坐，自贻其祸。噫，可不忍欤！

【译文】

夏禹讨厌美酒，因此酿酒师仪狄被疏远。周朝有严格的诰制，聚众喝酒的人一定要处斩。

郑国的伯有由于夜里在酒室里长时间狂饮，而被攻打他的人杀死。不要像唐朝李适之那样自我夸耀酒量大，甘当酒徒。

王导说覆盖在酒坛上的布也会腐烂，这种规劝是很威严的；孔群说用酒糟腌制的肉可以长久保存，这乃是狂人的言论。

司马子反接受仆人榖阳竖的酒，以此解渴，结果延误军情，身首异处；西汉灌夫借酒骂田蚡于坐席上，结果给自己招来杀身之祸。唉，能不忍耐酒的诱惑吗！

色之忍第十

【原文】

桀之亡，以妹喜；幽之灭，以褒姒。

晋之乱，以骊姬；吴之祸，以西施。

汉成溺，以飞燕，披香有“祸水”之讥。

唐祚中绝于昭仪，天宝召寇于贵妃。

陈侯宣淫于夏氏之室，宋督目逆于孔父之妻。败国亡家之事，常与女色以相随。

伐性斤斧，皓齿蛾眉；毒药猛兽，越女齐姬。枚生此言，可为世师。噫，可不忍欤！

【译文】

夏桀身亡，是因为妹喜；周幽王国灭，是由于褒姒。

晋国的祸乱，是因为骊姬；吴国的灭亡，是由于西施。

汉成帝因过于溺爱赵飞燕，披香殿里才有了“祸水”的讥讽。

唐朝帝运中断是由于武则天，天宝年间招来安禄山叛乱是因为杨贵妃。

陈灵公在夏姬家中公然淫乱而导致被杀，宋太宰华父督觊觎孔父嘉的妻子而导致灾难。亡国败家的事，通常都是随着迷恋女色而来的。

有着皓齿蛾眉的美女，是戕害性命的斧头；越、齐等地的美女，是危害人的毒药猛兽。枚乘的这些话，可以作为世人的师训。唉，怎么能不忍呢？

贪之忍第十一

【原文】

贪财曰饕，贪食曰餮。舜去“四凶”，此居其一。

纨如打五鼓，谢令推不去。如此政声，实蕃众怒。

鱼弘作郡，号为“四尽”；重霸对棋，觅金三锭。

陈留章武，伤腰折股。贪人败类，秽我明主。

口称夷齐，心怀盗跖。产随官进，财与位积。游道闻魏人之劾，宁不有靦于面目？噫，可不忍欤！

【译文】

贪财叫饕，贪吃叫餮。舜除去“四凶”，饕餮就是其中之一。

传来报时的五更鼓声，谢县令推也推不走，这样的做官声誉，的确是犯了众怒。

鱼弘担任郡守，号称“四尽”，即“水中鱼鳖尽，山中獐鹿尽，田中米谷尽，村里人口尽”；刺史安重霸与邓财主下棋，是为了向他索要三个金锭。

陈留的李崇、章武的元融，因贪图钱财而伤腰断腿。这些贪财的败类，污辱了我们圣明的君主。

嘴里说的话好像伯夷、叔齐一样清廉，心里却像盗跖一样贪婪。

家产随官位的提升而增多，财富随地位的升高而不断积聚。宋游道听到北魏尚书郑述祖等人的弹劾，难道不惭愧吗？唉，怎么能不忍呢？

气之忍第十二

【原文】

燥万物者，莫熯乎火；挠万物者，莫疾乎风。风与火值，扇炎起凶。

气动其心，亦蹶亦趋，为风为大，如鞴鼓炉。养之则为君子，暴之则为匹夫。

一朝之忿，忘其身以及其亲，非惑与？噫，可不忍欤！

【译文】

能使万物干燥的东西中，没有比火更炽热的；能使万物折弯的东西中，没有比风更迅疾的。风和火相互作用，风助火势，就可能引起凶险之灾。

气触动人心，可使人摔倒也可使人奔走，以气为大风，就如同用皮囊向火炉鼓风一样。善养浩然之气就能成为君子，损伤刚正之气则只能成为匹夫之辈。

因一时的愤怒，忘记了自己的性命，甚至连累亲人，这难道不是糊涂吗？唉，怎么能不忍呢？

权势骄矜之忍

权之忍第十三

【原文】

子孺避权，明哲保身；杨李弄权，误国殄民。

盖权之于物，利于君，不利于臣；利于分，不利于专。

惟彼愚人，招权入己，炙手可热，其门如市，生杀予夺，目指气使，万夫胁息，不敢仰视。

苍头庐儿，虎而加翅，一朝祸发，迅雷不及掩耳。

李斯之黄犬谁牵，霍氏之赤族奚避？噫，可不忍欤！

【译文】

张良避让权位，可见他明白事理，懂得保全身家性命；杨国忠、李林甫玩弄权柄，结果导致祸国殃民。

权力这东西，对君主有利，对臣子不利；分散了有利，集中了不利。

唯独那些愚蠢的人，才给自己收揽权势。当其显贵之时，他的门前车水马龙如同闹市，拥有生杀赏罚的权力，可用目光和脸色指使别人，众人见了他就屏住呼吸，不敢抬头看他。

苍头庐儿这样的小人，一旦得势就如同老虎添上了翅膀，但有朝一日祸事发生，就好像迅雷炸响而来不及掩住自己的耳朵。

李斯的黄犬由谁去牵呢？霍光的满族人躲避到哪里去呢？唉，怎么能不忍呢？

势之忍第十四

【原文】

迅风驾舟，千里不息；纵帆不收，载胥及溺。

夫人之得势也，天可梯而上；及其失势也，一落地千丈。

朝荣夕悴，变在反掌。炎炎者灭，隆隆者绝。观雷观火，为盈为实。天收其声，地藏其热。高明之家，鬼瞰其室。噫，可不忍欤！

【译文】

顺着大风驾船，行驶千里也不会停止；然而如果升起帆不收起来，就会连人带船都沉没。

人一旦得势，就是想上天也有梯子能够爬上去；等到他失势之时，就会一落千丈。

早晨开的花傍晚就凋谢了，变化只在反掌之间。熊熊的大火会熄灭，轰隆的雷声会平息。雷和火都有盈盛的时候，但是天会消去雷声，地会敛藏火热。高爵显耀之家，却有神鬼在窥视他的内屋。唉，怎么能不忍呢？

骄之忍第十五

【原文】

金玉满堂，莫之能守。富贵而骄，自遗其咎。

诸侯骄人则失其国，大夫骄人则失其家。魏侯受田子方之教，不敢以富贵而自多。

盖恶终之衅，兆于骄夸；死亡之期，定于骄奢。先哲之言，如不听何！

昔贾思伯倾身礼士，客怪其谦。答以四字，衰至便骄。斯言有味。噫，可不忍欤！

【译文】

即使金玉满堂，也没有人能永久保持得住。富贵而骄纵，只会给自己种下恶果。

诸侯骄横就会失去他的国家，大夫骄傲就会丧失他的领邑。魏文侯接受田子方的教诲，不敢因为富贵而自高自大。

坏结果以人的骄傲夸耀为先兆，死亡的日子以人的骄傲奢侈而确定。先哲的话，怎么能不听！

贾思伯以真诚之心礼贤下士，客人对他这样谦虚感到惊讶。他回答了四个字：衰至便骄。这句话意味深长。唉，怎么能不忍呢？

矜之忍第十六

【原文】

舜之命禹，汝惟不矜；说告高宗，戒以矜能。圣君贤相，以此相规。人有寸善，矜则失之。

问德政而对以偶然之语，问治状而答以王生之言。三帅论功，皆曰："臣何力之有焉？"为臣若此，后世称贤。

文欲使屈宋衙官，字欲使羲之北面，若杜审言，名为虚诞。噫，可不忍欤！

【译文】

舜告诫禹说，你正是因为不自大自夸，所以天下没有谁能和你争；傅说劝告高宗，不要炫耀自己的才能。圣明的君主和贤良的辅相，都是用这些话互相规劝。人即便有小小的优点，但如果自我夸耀就会丧失掉。

皇帝询问刘昆施行了怎样的德政，可以不用水而能灭火，还使老虎离开其所治之郡，刘昆回答说是偶然现象；皇帝问龚遂如何能治理有方，龚遂说是听从了门人王生的教诲，晋景公给三位将帅评定功劳时，将帅们都说："我并没有出什么力啊！"像这样的臣子，后代的人称他们为贤能之人。

杜审言说，文章水平要凌驾在屈原、宋玉之上，书法水平要让王羲之面北拜服，此话真是虚妄荒诞、狂妄自大。唉，怎么能不忍呢？

贵贱贫富之忍

贵之忍第十七

【原文】

贵为王爵，权出于天；洪范五福，贵独不言。

朝为公卿，暮为匹夫。横金曳紫，志满气粗；下狱投荒，布褐不如。

盖贵贱常相对待，祸福视谦与盈。鼎之覆餗，以德薄而任重；解之致寇，实自招于负乘。

讼之鞶带，不终朝而三褫；孚之翰音，凶于天之蹦登。静言思之，如履薄冰。噫，可不忍欤！

【译文】

王爵是最高贵的，这种权利是天给予的；《洪范》里提到了“寿”、“富”、“康宁”、“修好德”、“考终命”这五福，唯独没有提到“贵”。

早上还贵为公卿，晚上就沦为平民。腰间缠着金带，身上穿着紫衣，此时何等趾高气扬；一旦犯下过错，被投入监牢，流放到蛮荒之地，那时就连一个平民都比不上了。

贵与贱经常是相互依赖的，祸与福的出现全看人是谦逊还是傲慢。《鼎》卦所说鼎中的佳肴之所以被打翻，是由于德行浅薄而担负的责任重大。《解》卦中所说的被抢劫的人，其身份低微却要乘坐贵人的车子，实在是自作自受。

《讼》卦说通过竞争得来的官位，也可能一天之内被罢免三次。《中孚》卦说鸡虽可登天，但因其本不是登天的动物，被断为凶兆。静静地想一想，依恃于贵，就好像踩在薄冰上一样。唉，怎么能不忍呢？

贱之忍第十八

【原文】

人生贵贱，各有赋分。君子处之，遁世无闷。

龙陷泥沙，花落粪溷。得时则达，失时则困。

步骘甘受征羌席地之遇，宗悫岂较乡豪粗食之羞？

买臣负薪而不耻，王猛鬻畚而无求。

荀充诎而陨获，数子奚望于公侯。噫，可不忍欤！

【译文】

人的富贵与贫贱，各有各的定数；真正的君子对于世俗的所谓贵贱，宁愿采取避世之法也不会因两者感到烦闷。

有时会陷在泥沙中，花偶尔也会落在粪池里。人时逢好运就发达，错过了机遇就会困顿。

步骘甘愿接受征羌为他设地席的待遇，宗悫岂会计较乡里豪强给他粗粝食物这种羞辱？

朱买臣背着柴薪而不以此为耻辱，王猛靠卖畚箕为生而不追求名利。

若真能做到富贵时不骄傲，贫贱时不丧失气节的话，就一定会平步青云。步骘、宗悫等人贫贱时哪里会想到封公封侯呢？唉，怎么能不忍呢？

贫之忍第十九

【原文】

无财为贫，原宪非病；鬼笑伯龙，贫穷有命。造物之心，以贫试士；贫而能安，斯为君子。民无恒产，因无恒心。不以其道得之，速奇祸于千金。噫，可不忍欤！

【译文】

原宪没有钱财，这只是贫，而不是子贡所说的病。刘伯龙很贫穷，他曾盘算怎样致富却竟被鬼耻笑，他因此而懂得贫穷有命。

造物主的目的，是想用贫穷来检验士人的品性；贫穷却能安贫乐道，这样的人才是君子。

普通百姓没有稳定的产

业，也就不会有稳定的向善之心。不是通过正道得来的利益最后只会招来大祸。唉，能不忍吗！

富之忍第二十

【原文】

富而好礼，孔子所诲；为富不仁，孟子所戒。盖仁足以长福而消祸，礼足以守成而防败。

怙富而好凌人，子羽已窥于子皙；富而不骄者鲜，史鱼深警于公叔。

庆封之富非赏实殃，晏子之富如帛有幅。

去其骄，绝其吝，惩其忿，窒其欲，庶几保九畴之福。噫，可不忍欤！

【译文】

富贵并守礼义，是孔子对富人的教诲；不要因为富贵就丧失了仁义，这是孟子对人们的告诫。因此行仁义可以增长福运、消除灾祸，守礼义可以保持住已有的基业并防止失败。

子皙依仗着富有而喜欢欺凌别人，子羽已暗中预见了他的下场；富有而不骄纵的人非常少，史鱼因此对公叔提出了严厉的警告。

齐人庆封的富有不是上天的恩赐而是祸殃；而齐国晏子的富有就像布帛一样有一定的限度，这样才能持续。

如果能去掉骄气，戒除吝啬，控制怒气，克制欲望，这样基本上就能保住《洪范》九畴讲的五种福分了。唉，怎么能不忍呢？

宠辱争失之忍

宠之忍第二十一

【原文】

婴儿之病伤于饱，贵人之祸伤于宠。

龙阳君之泣鱼，黄头郎之入梦。

董贤令色，割袖承恩。珍御贡献，尽入其门。尧禅未遂，要领已分。

国忠娣妹，极贵绝伦；少陵一诗，画图丽人；渔阳兵起，血污游魂。

富贵不与骄奢期，而骄奢至；骄奢不与死亡期，而死亡至。思魏牟之谏，穰侯可股栗而心悸。噫，可不忍欤！

【译文】

婴儿得病是因为吃得过饱所致，贵人招祸是由于受到过度宠幸的缘故。

龙阳君和魏王钓鱼时哭泣，因为担心自己将像多余的鱼一样被抛弃；黄头郎邓通因汉文帝所梦而一度被宠幸，结果却饿死。

董贤生得英俊潇洒，得到了皇帝割袖的恩宠。全国各地贡献的珍宝，全被送进了董家。汉哀帝想让位给他却没成功，结果自杀而死。

杨国忠的两个姐妹受到宠幸，其显贵没有谁能与之相比；杜甫所写的《丽人行》一诗，就是为杨氏姐妹所作；等到安禄山渔阳起兵反叛，杨氏姐妹就成了孤魂野鬼。

富贵并没有和骄傲奢侈订立约期，然而骄傲奢侈自己会来；骄傲奢侈也不曾和死亡订立约期，然而死亡会自动到来。想想魏国公子牟的诤言，穰侯想必会感到两腿颤抖、心惊肉跳吧。唉，怎么能不忍呢？

辱之忍第二十二

【原文】

能忍辱者，必能立天下之事。圯桥匍匐取履，而子房韫帝师之智；市人笑出胯下，而韩信负侯王之器。

死灰之溺，安国何羞；厕中之箦，终为应侯。盖辱为伐病之毒药，不瞑眩而曷瘳？

故为人结袜者为廷尉，唾面自干者居相位。噫，可不忍欤！

【译文】

能忍受侮辱的人,必定能成就大事。张良在圯桥为黄石公爬着捡鞋子,拥有给帝王做军师的智谋;韩信甘愿受市井少年的胯下之辱,遭到市人嘲笑,却有王侯的气度。

被人视为一堆死灰,还要用尿浇灭以防复燃,韩安国曾经受到多么大的羞辱;被席子裹着放到厕所里,范雎最终却被封为应侯。侮辱是治病的毒药,试想如果不让病人服下毒药昏迷又怎能治好病呢?

所以像张释之那样给人系袜子的人却当了廷尉,像娄师德那样被人吐唾沫在脸上人却官居丞相。唉,怎么能不忍呢?

争之忍第二十三

【原文】

争权于朝,争利于市,争而不已,暋不畏死。

财能利人,亦能害人。人曷不悟,至于丧身?权可以宠,亦可以辱,人胡不思,为世大僇?

达人远见,不与物争。视利犹粪土之污,视权犹鸿毛之轻。污则欲避,轻则易弃。避则无憾于人,弃则无累于己。噫,可不忍欤!

【译文】

在朝廷上争夺权势,在市场上争夺利益,争得无休无止,强横而不怕死。

财富既能给人带来好处,也能祸害于人。人为什么不觉悟,以至于为争夺财富丧命？权可以使人受宠，也可以使人受辱，人为什么不认真思考，以致为了权利而断送性命？

性情豁达的人有远见卓识，不与人争名夺利，他们视名利如粪土那样污浊，视权力如鸿毛那样轻微。因为污浊，人们就会避开它；因为轻视某种东西，人们就容易摒弃它。避开了利就可以使人无恨，摒弃了权就可以使自己轻松。唉，怎么能不忍呢？

失之忍第二十四

【原文】

自古达人，何心得失？子文三已，下惠三黜，二子泰然，曾无愠色。

银杯羽化，米斛雀耗，二子淡然，付之一笑。

盖有得有失者，物之常理。患得患失者，目之为鄙。塞翁失马，祸兮福倚。得丧荣辱，奚足介意？噫，可不忍欤！

【译文】

自古心胸豁达的人，哪里会把得失放在心里？子文三次被免去官职，柳下惠三次被罢黜，两人都泰然自若，几乎没有什么愠怒之色。

银杯羽化成仙，大米被鼠雀吃掉，柳公权、张率对奴仆的谎言处之淡然，付之一笑。

有得必有失，有失必有得，是事物变化的一般规律。如果一个人患得又患失，就可将他视为愚钝之人。塞翁失马，是祸也是福。对得失荣辱，何必太介意呢？唉，怎么能不忍呢？

生死安危之忍

生之忍第二十五

【原文】

所欲有甚于生，宁舍生而取义。

故陈容不愿与袁绍同日生，而愿与臧洪同日死。元显和不愿生为叛臣，而愿死为忠鬼。天下后世，称为烈士。读史至此，凛然生气。

苏武生还于大汉，李陵生没于沙漠，均之为生，而不得并祀于麟阁。噫，可不忍欤！

【译文】

孟子说，如果所追求的道义比生命更重要，那就舍弃生命而选择道义。

因此陈容不愿意和袁绍同日生，而愿意和臧洪同日死。元显和不愿作为一个叛臣活着，而甘愿死去成为忠魂。天下的人，后世的人，都尊称他们为烈士。读史到这里,就能感受到他们的凛然正气。

苏武历尽苦难回到汉庭,李陵叛国投敌客死于沙漠,同样是活了一辈子,但二人死后却只有苏武的画像被放在麒麟阁受人敬拜。唉,怎么能不忍呢?

死之忍第二十六

【原文】

人谁不欲生?罔之生也,幸而免。自古皆有死,死得其所,道之善。

岩墙桎梏,皆非正命。体受归全,易箦得正。

召忽死纠,管仲不死,三衅三浴,民受其赐。

陈蔡之厄,回何敢死!仲由死卫,未安于义。

百金之子不骑衡,千金之子不垂堂,非恶死而然也,盖亦戒夫轻生。噫,可不忍欤!

【译文】

哪个人不希望活着?但活着却不遵循天理,只能说是侥幸地活着而免于死。自古至今人人都难免一死,死得其所,才符合正道。

被危墙压死,受刑罚而死,都不是正道的死法。身体受之于父母应该完整地归还,曾子换掉席子合乎礼后才得以堂堂正正地死去。

召忽为公子纠死,管仲却没有为公子纠自杀,而逃到了鲁国。齐桓公三次洗浴三次熏香去请管仲做宰相。管仲后来帮助齐桓公称霸天下,人民也受到了恩惠。

孔子被围困了陈蔡时,颜回岂敢轻易就死?子路因政变而死在卫国，并不合乎义。

百金之家的子弟不骑在栏杆上玩，千金之家的子弟不坐在房子的边缘，不是怕死而这样做，而是告诫人们不要拿生命当儿戏而轻生。唉，怎么能不忍呢？

安之忍第二十七

【原文】

宴安鸩毒，古人深戒；死于逸乐，又何足怪？

饱食无所用心，则宁免博弈之尤；逸居而无教，则又近于禽兽之忧。

故玄德涕流髀肉，知终老于斗蜀；士行日运百甓，习壮图之筋力。

盖太极动而生阳，人身以动为主。户枢不蠹，流水不腐。噫，可不忍欤！

【译文】

贪图安逸享乐等于是喝下很毒的鸩酒，这是古人深以为戒的；由于安逸享乐而导致死亡，又有什么值得奇怪的呢？

饱食终日，无所用心，还不如去下一下棋；安逸地居住却不接受教育，那就与禽兽没什么区别了。

刘备因大腿上长了肥肉而流泪，他知道自己最终要老死在蜀国，而不能实现统一天下的大志；陶侃每天搬运一百块砖，目的是为了锻炼筋力，以备日后致力中原。

太极运动而生阳气，人的身体也是以运动为根本的。时常转动的门轴不会生虫,持续流动的水不会腐臭。唉,怎么能不忍呢?

危之忍第二十八

【原文】

围棋制淝水之胜,单骑入回纥之军。此宰相之雅量,非元帅之轻身。盖安危未定,胜负未决,帐中仓皇,则麾下气慑,正所以观将相之事业。

浮海遇风,色不变于张融;乱兵掠射,容不动于庾公。盖鲸涛澎湃,舟楫寄家;白刃蜂舞,节制谁从。正所以试天下之英雄。噫,可不忍欤!

【译文】

谢安在后方边下围棋,边指挥前线作战,最后在淝水之战中取胜,这乃是宰相所具备的恢弘气度;郭子仪独自骑马进入回纥的军营,不惧危难最后平定了战乱。两军对峙,在安危尚无定数、胜负并未决出时,如果帐中主帅惊慌失措,那么手下的士兵必然会惧怕胆怯。正是在此危急关头,可以看出将相能否成就大功绩。

船在海上遇到大风浪,张融仍面不改色,神情不变;混乱之中的逃兵相互掠夺射击,庾亮对此却不动声色,镇定自若。巨涛澎湃之际,应寄居船上。锋刃纷飞之时,又有谁可以控制呢?这也正是考验天下英雄的时刻啊!唉,怎么能不忍呢?

忠孝仁义之忍

忠之忍第二十九

【原文】

事君尽忠，人臣大节；苟利社稷，死生不夺。

杲卿之骂禄山，痛不知于断舌；张巡之守睢阳，烹不怜于爱妾；养子环刃而侮骂，真卿誓死于希烈。忠肝义胆，千古不灭。在地则为河岳，在天则为日月。

高爵重禄，世受国恩。一朝难作，卖国图身。何面目以对天地，终受罚于鬼神。昭昭信史，书曰叛臣。噫，可不忍欤！

【译文】

对君主竭尽忠心，是为人臣子的至大气节；只要有利于国家，就要把死生置之度外。

颜杲卿责骂安禄山，就算舌头被割断了也不觉得痛；张巡守卫睢阳时，把爱妾烹煮给士兵吃也不觉爱怜；李希烈的三千养子对颜真卿环绕辱骂、拔刀威胁，即便如此颜真卿依然面不改色，誓死不屈。这些人的忠肝义胆在地上化为河岳，在天上化作日月，千古永存。

有些人享受着高官厚禄，世代受到国君的恩典，可是一旦国家有难，就卖国求生。这种不忠不义之人有何面目面对天地！他们最终都会受到鬼神的惩罚，并在昭昭可见的历史上被写上叛臣的名号。唉，怎么能不忍呢？

孝之忍第三十

【原文】

父母之恩，与天地等。人子事亲，存乎孝敬，怡声下气，昏定晨省。

难莫难于舜之为子，焚廪掩井，欲置之死，耕于历山，号泣而已。

冤莫冤于申生伯奇，父信母谗，命不敢违。祭胡为而地坟，蜂胡为而在衣？

盖事难事之父母，方见人子之纯孝。爱恶不当疑，曲直何敢较？

为子不孝，厥罪非轻，国有刀锯，天有雷霆。噫，可不忍欤！

【译文】

父母对子女的恩情像天地一样广大深厚。子女们侍奉父母必须怀着孝顺恭敬之心，对待父母要用平和、愉快的声音，说话要轻声细语，每天早晨要请安，黄昏时要问好。

做儿女的没有比舜更难的了。父亲火烧仓库，填平水井，目的都是想把舜害死。而舜在历山耕种，只不过是对着苍天哭号，要把父母的罪行承担下来。

没有比申生、伯奇更冤屈的了,他们的父亲听信了后母的谗言对二人施以重罚,而身为人子又不敢违抗,结果都自杀而死。晋献公祭地为何地上隆起小块?毒蜂为什么会在伯奇后母的衣服上?

侍奉那些难以侍奉的父母,才能表现出为人子女纯洁的孝心。父母的爱恨不应当怀疑,他们的是非曲直又岂敢计较?

为人子而没有孝心孝行,这种罪责不轻。对没有孝心的人,国家有刀锯般的刑罚,上天有雷霆的震慑。唉,怎么能不忍呢?

仁之忍第三十一

【原文】

仁者如射,不怨胜己。横逆待我,自反而已。

夫子不切齿于桓魋之害,孟子不芥蒂于臧仓之毁。人欲万端,难灭天理。

彼以其暴,我以吾仁。齿刚易毁,舌柔独存。

强恕而行,求仁莫近。克己为仁,请服斯训。噫,可不忍欤!

【译文】

有仁德的人好比射箭,必先正己而后发箭,对超过自己的人也不怨恨。别人用暴虐的态度对待自己,就加强自我反省。

孔子不怨恨桓魋对他的伤害,孟子不计较臧仓对他的诋毁。尽管人的欲望是无穷的,但天理始终无法泯灭。

他人依恃他的横暴,但我却靠我的仁义。牙齿坚硬但容易毁坏,舌头柔软却能保存更久。

尽力去做宽恕他人的事，在求仁的途径上没有比它更近的捷径了。要克制自己以达到仁慈，请信服这条训诫。唉，怎么能不忍呢？

义之忍第三十二

【原文】

义者，宜也。以之制事，义所当为，虽死不避；义所当诛，虽亲不庇；义所当举，虽仇不弃。

李笃忘家以救张俭，祈奚忘怨而进解狐。

吕蒙不以乡人干令而不戮，孔明不以爱客败绩而不诛。

叔向数叔鱼之恶，实遗直也；石碏行石厚之戮，其灭亲乎？

当断不断，是为懦夫。勿行不义，勿杀不辜。噫，可不忍欤！

【译文】

义，就是适宜。把义当作处事的准则，以义为出发点做应该做的事，即使是死也不回避；应当诛杀的，即使是亲人也不应庇护；应当举荐的，即使是仇人也不弃置。

李笃不以身家性命为念而救助张俭，祈奚抛掉个人恩怨而举荐解狐。

吕蒙不因同乡犯法而不斩，孔明不因爱将打了败仗而不诛。

叔向列举兄弟叔鱼的罪恶，实在是古代所遗留的正直的人；石碏杀了儿子石厚，应该算是大义灭亲吧？

该下决心的时候不下决心，这是懦夫的行为。不要做不合道义的事，不要残杀没有罪过的人。唉，怎么能不忍呢？

礼信智勇之忍

礼之忍第三十三

【原文】

天理之节文，人心之检制。出门如见大宾，使民如承大祭。当以敬为主，非一朝之可废。

钼麑屈于宣子之恭敬，汉兵弭于鲁城之守礼。

郭泰识茅容于避雨之时，晋臣知冀缺于耕馌之际。

季路结缨于垂死，曾子易箦于将毙。噫，可不忍欤！

【译文】

礼是根据天理的要求制定出来的，是对人心的节制和规范。出门就好像要去拜见贵宾，治理民众就好像参加重大祭礼。应当以恭敬为主，任何时候都不能废弛。

鉏麑被赵宣子的恭敬所折服，汉军由于鲁城遵守礼义而停止进攻。

东汉郭泰在避雨时目睹了茅容对母亲的孝敬，晋臣臼季见识了冀缺夫妻耕田送饭时的相敬如宾。

季路在临死的时候还要系好帽带以正礼，曾子要换掉不合乎礼仪的席子才肯安然逝去。唉，怎么能不忍呢？

信之忍第三十四

【原文】

自古皆有死，民无信不立。尾生以死信而得名，解扬以承信而释劫。

范张不爽约于鸡黍，魏侯不失信于田猎。

世有薄俗，口是心非，颊舌自动，肝膈不知。取怨之道，种祸之基。诳楚六里，勿效张仪；朝济夕版，曲在晋师。噫，可不忍欤！

【译文】

自古以来人人都难免一死，但人如果不讲信用就没有办法立足于社会。尾生因为守信虽被淹死却获得人们的赞美，解扬因恪守信用而被释放。

范式、张劭没有忘却欢饮的约定，魏文侯不失信于和虞人一起打猎的约定。

社会上有一种轻薄的习俗，就是口是心非，信口开河。说起话来，舌头一动，内心想的却不被人知道。这是招取怨恨的原因，也是种下祸患的根本。不要模仿张仪，欺骗楚国，把六百里说成六里；晋惠公得到秦人的帮助才回到晋国，但他早晨刚过河，傍晚就在划给秦国的土地上修建防御工事，这是晋国理屈。唉，怎么能不忍呢？

智之忍第三十五

【原文】

樗里、晁错俱称智囊，一以滑稽而全，一以直义而亡。

盖人之不可无智，用之太过则怨集而祸至。故宁俞之智，仲尼称美；智不如葵，鲍庄断趾。

士会以三掩人于朝，而杖其子；闻一知十之颜回，隐于如愚而不试。噫，可不忍欤！

【译文】

樗里子、晁错都被称为“智囊”，前者因为圆滑善辩而得以善终，后者由于性情耿直、敢说敢为而被杀。

人不能没有智谋，但使用得太多了就会怨恨积多而招致祸患。所以宁俞的智慧得到孔子的赞美。鲍庄的智谋连葵花都不如，葵花还能向着太阳，用叶子护着自己的根，而鲍庄居然连自己也保护不了，以至于被砍了脚。

士会的儿子仅知道三个谜底就在朝廷上逞能，士会因此而杖打他。颜回能够闻一知十，但他却大智若愚才没有被世人所用。唉，怎么能不忍呢？

勇之忍第三十六

【原文】

暴虎冯河，圣门不许；临事而惧，夫子所与。

黝之与舍，二子养勇，不如孟子，其心不动。

故君子有勇而无义，为乱；小人有勇而无义，为盗。圣人格言，百世诏诰。噫，可不忍欤！

【译文】

徒手和老虎搏斗，不坐船而涉水过河，孔门不赞许这样的做法；遇事谨慎而不轻举妄动，才是孔子所赞同的。

北宫黝和孟施舍两人培养勇气的气势，都比不上孟子，孟子四十岁的时候还可以做到不动摇其心志。

所以君子单有勇气却不讲道义，就会作乱；小人有勇气而没有道义，就会成为盗贼。圣人的格言，可以作为后世百代的训诫。唉，怎么能不忍呢？

喜怒好恶之忍

喜之忍第三十七

【原文】

喜于问一得三，子禽见录于鲁论；喜于乘桴浮海，子路见诮于孔门。

三仕无喜，长者子文；沾沾自喜，为窦王孙。

捷至而喜，窥安石公辅之器；捧檄而喜，知毛义养亲之志。

故量有浅深，气有盈缩。易浅易盈，小人之腹。噫，可不忍欤！

【译文】

陈子禽向伯鱼提出一个问题而获得了三个答案，这让他很高兴，这件事后来被记载到《论语》上；子路为孔子乘桴浮于海的假托之辞而欣喜，但同时也受到孔门弟子的讥笑。

子文三次任职令尹而了无喜色；西汉时的窦婴，被封为魏其侯就沾沾自喜。

淝水之战的捷报传来，谢安虽内心欢喜而不动声色，可见他作为宰相的气度；毛义接到官府任职的文书时高兴不已，因为他可以此赡养母亲。后来母亲去世，他卸官服孝而去，可见毛义奉养母亲的心意。

所以说人的器量有深有浅，志气有大有小。器量狭小而气不充盈，这乃是小人之腹。唉，怎么能不忍呢？

怒之忍第三十八

【原文】

怒为东方之情而行阴贼之气，裂人心之大和，激事物之乖异，若火焰之不扑，斯燎原之可畏。

大则为兵为刑，小则以斗以争。太宗不能忍于蕴古、祖尚之戮，高祖乃能忍于假王之请、桀纣之称。

吕氏几不忍于嫚书之骂，调樊哙十万之横行。

故上怒而残下，下怒而犯上。怒于国则干戈日侵，怒于家则长幼道丧。

所以圣人有忿思难之诫，靖节有徒自伤之劝。惟逆来而顺受，满天下而无怨。噫，可不忍欤！

【译文】

怒属于东方的性情并且产生阴险之气，它破坏人心中的和谐，激起事物向不正常的方向发展，就好像火焰不被扑灭的话，就可能造成燎原的可怕后果。

大怒引起战争和刑杀，小怒导致殴斗和争吵。唐太宗没能忍住怒火而错杀了张蕴古、卢祖尚,汉高祖却能忍受韩信的假王请求、萧何称他为桀纣这样的指责。

吕后差点不能忍受冒顿单于的书信辱骂,而调动樊哙率十万兵马去征讨匈奴。

所以在上位的人发怒就会残害居于下位的人,居于下位的人发怒就会冒犯处在上位的人。对于国家来说,一旦发怒就会导致战争连绵;对于家庭来讲,一旦发怒就会导致长幼无序。

因此孔子告诫人们“愤怒时当思日后的患难而抑制愤怒”,陶潜规劝人们“怒气会伤害和气又白白地伤害自己”。唉,怎么能不忍呢?

好之忍第三十九

【原文】

楚好细腰,宫人饿死。吴好剑客,民多疮瘠。

好酒、好财、好琴、好笛、好马、好鹅、好锻、好屐,凡此众好,各有一失。人惟好学,于己有益。

有失不戒,有益不劝,玩物丧志,人之通患,噫,可不忍欤!

【译文】

楚王喜欢细腰的女人,于是许多宫中女子因此饿死了。吴王喜欢剑客,百姓身上便有了许多伤痕。

好酒好财,好琴好笛,好马好鹅,好锻好屐,这么多的爱好中,每一种都使人有所失。人只有好学，才对自己真正有益。

明白嗜好会带来过失却不戒除，看见有益处的东西却不努力学习，玩物丧志，这是人的通病。唉，能不忍吗！

恶之忍第四十

【原文】

凡能恶人，必为仁者。恶出于私，人将仇我。

孟孙恶我，乃真药石。不以为怨，而以为德。

南夷之窜，李平廖立；陨星讣闻，二子涕泣。

爱其人者，爱及屋上乌；憎其人者，憎其储胥。

鹰化为鸠，犹憎其眼。疾之已甚，害几不免。

仲弓之吊张让，林宗之慰左原，致恶人之感德，能灭祸于他年。噫，可不忍欤！

【译文】

出于公理而厌恶他人的一定是讲仁义的人。一个人如果因个人的私心而讨厌别人，就一定会被视为仇人。

孟孙讨厌臧孙，臧孙却将此当做是治病的良药，不但不以此为怨，反而以此为恩德。

李平、廖立被孔明流放南夷，然而当听闻诸葛亮去世的消息时，两人都痛哭流涕。

喜爱一个人，会连带着喜欢他家屋顶上的乌鸦；憎恨一个人，会连带着憎恨他住的地方。

老鹰即使变成了鸠鸟，认识它的人还是会憎恨它的眼睛。对恶人的憎恨如果太深的话，难免要发生灾祸。

陈仲弓前去祭吊张让的父亲，郭林宗安慰左原，这样做能使恶人感恩戴德，并可免去他年的祸患。唉，怎么能不忍呢？

欺侮谤誉之忍

欺之忍第四十一

【原文】

郁陶思君,象之欺舜。校人烹鱼,子产遽信。

赵高鹿马,延龄羡余。以愚其君,只以自愚。丹书之恶,斧钺之诛。

不忍丝发欺君。欺君,臣子之大罪。二子之言,千古明诲。

人固可欺,其如天何!暗室屋漏,鬼神森罗。作伪心劳,成少败多。

鸟雀至微,尚不可欺。机心一动,未弹而飞。人心叵测,对面九嶷。欺罔逝陷,君子先知。诐遁邪淫,情见乎辞。噫,可不忍欤!

【译文】

舜的弟弟象欺骗舜说:“我非常想念你。”掌管池子的人把鱼煮着吃了,子产却相信了他将鱼放生的谎言。

赵高指鹿为马,裴延龄无中生有献盈余。本来想愚弄他们的君主,却只能愚弄自己。这些人的恶名被载入史书,其恶行会受到斧钺的诛杀。

胡宿说："我不忍心在极细微的事情上欺骗君主。"鲁宗道说："欺君，是臣子的大罪。"这两人的话是对后世的千古教诲。

人固然能够被欺骗，但天怎么可能被欺骗！即使在黑暗的、角落做亏心事，鬼神也森罗密布无所不知。欺骗会使人心力交瘁，且成功的少失败的多。

鸟雀这么微小的生灵尚且难以欺骗，只要人心中的念头一动，弹丸还没有发射出去，鸟雀就已经飞走了。人心难以猜测，就如同九嶷峰一样难辨真假。孔子曾说：可以让人远远地离开，但不可以陷害；可以欺骗但不可愚弄。偏颇、逃遁、邪恶、淫荡这几种人情，都能够从言辞当中反映出来。唉，怎么能不忍呢？

侮之忍第四十二

【原文】

富侮贫，贵侮贱，强侮弱，恶侮善，壮侮老，勇侮懦，邪侮正，众侮寡，世之常情，人之通患。识盛衰之有时，则不敢行侮以贾怨；知彼我之不敌，则不敢抗侮而构难。

汤事葛，文王事昆夷，是谓忍侮于小。太王事匈奴，勾践事吴，是谓忍侮于大。忍侮于大者无忧，忍侮于小者不败。当屏气于侵杀，无动色于睚眦。噫，可不忍欤！

【译文】

富有的人欺侮贫穷的人，富贵的人欺侮贫贱的人，强者欺侮弱者，恶人欺侮好人，年壮者欺侮年老者，有勇者欺侮懦弱者，邪僻者欺侮正义者，势众者欺侮势弱者，这是人世间的常情，也是人之通病。假如懂得强盛衰弱是相对的而各有其时，就不敢欺侮他人以招致怨恨；如果认识到自己的力量根本无法和对方抗衡，就不敢对抗对方的欺侮而造成灾难。

商汤服侍葛，周文王服侍昆夷，是忍受比自己弱的一方的侮辱。古公亶父服侍匈奴，勾践服侍吴国，是忍受较自己强大的一方的侮辱。能够忍受强大者的侮辱就没有忧患，能够忍受弱小者的侮辱就必然会立于不败之地。当别人侵略掠杀时应当忍受，面对小的仇恨应不予理睬。唉，怎么能不忍呢？

谤之忍第四十三

【原文】

谤生于雠，亦生于忌。求孔子于武叔之咳唾，则孔子非圣人；问孟轲于臧仓之齿颊，则孟子非仁义。

黄金，王吉之衣囊；明珠，马援之薏苡。以盗嫂污无兄之人，以笞舅诬娶孤女之士。

彼何人斯，面人心狗。荆棘满怀，毒蛇出口。投畀豹虎，豹虎不受。人祸天刑，彼将自取。我无愧怍，何慊之有？噫，可不忍欤！

【译文】

诽谤源于仇恨，也源于妒忌。假如孔子因叔孙武孙的诋毁而耿耿于怀人，那孔子也不是圣人；如果孟子因臧仓的诽谤而念念不忘，那孟子也算不上仁义。

西汉王吉的衣囊被人谣传成取之不尽的摇钱树；东汉马援的薏苡果实被人讹传为价值连城的夜明珠。没有兄长的直不疑被人污蔑与嫂子通奸，第五伦娶了孤女却被人冠以“鞭打岳父”的罪名。

这些都是什么人啊，在人的面目下却生着狗的心肠。他们胸中全是荆棘容不得人，口中说出的全是恶毒的言语。把这种人投给虎豹，虎豹也不愿吃。人间的灾祸，天降的惩罚，都是他们自己找的。如果自己没有做亏心事，有什么可遗憾的呢？唉，怎么能不忍呢？

誉之忍第四十四

【原文】

好誉人者谀，好人誉者愚。夸燕石为瑾瑜，诧鱼目为骊珠。

尊桀为尧，誉跖为柳。爱憎夺其志，是非乱其口。

世有伯乐，能品题于良马。岂伊庸人，能定驽骥之价？

古之君子，闻过则喜。好面誉人，必好背毁。噫，可不忍欤！

【译文】

喜欢奉承别人的人叫做佞人，喜欢被别人奉承的人叫做愚人。将普通的燕石夸赞成美玉，把鱼目当成珍珠来赞美。

将桀夸赞为尧一样的贤君，把盗跖赞誉为和柳下惠一样的正人君子。这些人内心爱憎不分，嘴里颠倒是非。

世上只有伯乐能品评辨别良马，那些庸人怎么能判定驽马和骏马的价值呢？

古代的君子，听到别人指出自己的过错就高兴。喜欢当面奉承人的，也一定喜欢在背后诋毁人。唉，怎么能不忍呢？

劳苦急躁之忍

劳之忍第四十五

【原文】

有事服劳，弟子之职。我独贤劳，敢形辞色？《易》称劳谦，不伐终吉。颜无施劳，服膺勿失。

故黾勉从事，不敢告劳，周人之所以事君；惰农自安，不昏作劳，商盘之所以训民。

疾驱九折，为子赣之忠臣；负米百里，为子路之养亲。噫，可不忍欤！

【译文】

有事就尽其力去完成，这是为人弟子应尽的职责。即使只有我做得最多最好，也不要在言辞和表情上有所显现。《易经》称赞勤劳而又谦逊的人，他们不夸耀自己的功劳最终将得到好的结果。颜回说不要夸耀自己的功劳，而将别人的好处铭记于心。

勤勉做事，不敢倾诉自己的劳苦，这是周大夫说的侍奉君王的准则；懒惰而只求自己安逸，不愿辛勤劳动，将来就会没有收获且不能享受安逸，这是盘庚训诫老百姓的话。

迅疾地驾着车马跑过九折坡这样的险要之地,是王子赣这样的忠臣;从百里外背着米回家奉养父母,是子路这样的孝子。唉,怎么能不忍呢?

苦之忍第四十六

【原文】

浆酒藿肉,肌丰体便。目厌粉黛,耳溺管弦。此乐何极!是有命焉。

生不得志,攻苦食淡;孤臣孽子,卧薪尝胆。

贫贱患难,人情最苦。子卿北海上之牧羝,重耳十九年之羁旅。呼吸生死,命如朝露。

饭牛至晏,襦不蔽骭。牛衣卧疾,泣与妻诀。天将降大任于斯人,必先饿其体而乏其身。噫,可不忍欤!

【译文】

把酒当做水,把肉当做野菜,养得体态丰满、大腹便便。眼睛看厌了涂脂抹粉的美女,耳朵听腻了管弦奏出的乐曲。这是多么的快乐啊!恐怕只有天生命好的人才能享受。

人生不得志的时候,才能在粗茶淡饭中刻苦攻读;只有那些被疏远的大臣和庶出的儿子,才能像越王勾践那样卧薪尝胆、发愤图强。

贫穷和患难是人世间最苦的事。苏武在荒无人烟的北海牧羊,重耳在外流亡十九年,他们的生死只在一口气之间,生命就像朝露一样随时都可能消散。

宁戚放牛从黄昏一直到夜半，短布衣服连小腿都无法遮住；王章生病无被，只能躺在牛衣当中，和妻子相对而泣。老天如果想要把重任托付给某人，就一定会先使他忍受饥饿，劳累困乏。唉，怎么能不忍呢？

急之忍第四十七

【原文】

事急之弦，制之于权。伤胸扪足，盗印追贼。诳梅止渴，抶背误敌。

判生死于呼吸，争胜负于顷刻。蝮蛇螫手，断腕宜疾。冠而救火，揖而拯溺，不知权变，可为太息。噫，可不忍欤！

【译文】

事情非常危急就好像箭在弦上，必须以权变来控制局面。汉高祖被项羽射中胸口，却只摸自己的脚趾头，以此稳定军心。唐德宗时朱泚反叛，段秀实伪造兵符追上叛军。曹操用前面有梅子的假话诳骗士兵，使士兵生津止渴。李穆鞭打宇文泰的背来欺骗敌军，二人逃过一劫。

呼吸之间即可决定生死，顷刻之际就能决定胜负。被蝮蛇咬了手，应当果断迅速地砍断手腕。戴好帽子再去救火，作揖行礼后再去救落水的人，都是不懂事急权变的做法，令人叹息。唉，怎么能不忍呢？

躁之忍第四十八

【原文】

养气之学，戒乎躁急。刺卵掷地，逐蝇弃笔。录诗误字，啮臂流血。觇其平生，岂能容物？

西门佩韦，唯以自戒。彼美刘宽，翻羹不怪。

震为决躁，巽为躁卦。火盛东南，其性不耐。雷动风挠，如鼓炉鞴。大盛则衰，不耐则败。一时之躁，噬脐之悔。噫，可不忍欤！

【译文】

培养正气的关键在于戒除急躁的性格。王述夹不起鸡蛋就把它丢到地上踩；王思写字时被苍蝇干扰，赶不走竟丢弃手中的毛笔。皇甫湜因为儿子抄诗写错了字，就咬得自己手臂流血。以上三人就连平时都如此急躁，他们的一生怎么能宽容别人？

西门豹之所以佩戴皮腰带，是为了警戒自己不要急躁。刘宽性情宽厚，仆人打翻羹汤弄污了他的朝服，他都没有降罪。

《震》卦指东方表示暴躁，《巽》卦指东南表示偏躁。东南火盛，其性质不安于常情。雷鸣风起，就像给炉子鼓风。处在最兴盛时就会开始衰落，不合常情就会失败。一时的急躁，换来的可能是后悔莫及。唉，怎么能不忍呢？

满快忽疾之忍

满之忍第四十九

【原文】

伯益有满招损之规，仲虺有志自满之戒。夫以禹汤之盛德，犹惧满盈之害。

月盈则亏，器满则覆。一盈一亏，鬼神祸福。

昔刘敬宣不敢逾分，常惧福过灾生，实思避盈居损。三复斯言，守身之本。噫，可不忍欤！

【译文】

伯益有"满招损"的规劝之言，仲虺有"志自满，九族乃离"的劝诫之训。像大禹、商汤这样道德高尚的人，仍然心怀自满招损的恐惧。

月亮圆满就会渐缺，器具装满了就会倾覆。自满和谦虚，鬼神分别会降以祸福。

晋朝的刘敬宣不敢逾越本分，常常担心幸福太多而招致灾祸，实际上是想避开自满以处于谦虚的位置。再三揣摩这些话，足以作为安身立命的根本。唉，能不忍吗！

快之忍第五十

【原文】

自古快心之事，闻之者足以戒。秦皇快心于刑法，而扶苏婴矫制之害；汉武快心于征伐，而轮台有晚年之悔。

人生世间，每事欲快。快驰骋者，人马俱疲；快酒色者，膏肓不医；快言语者，驷不可追；快斗讼者，家破身危；快然诺者，多悔；快应对者，少思；快喜怒者，无量；快许可者，售欺。与其快性而蹈失，孰若徐思而慎微。噫，可不忍欤！

【译文】

自古以来，称心快意的事很多，但因此而造成不好的结果的话，就应该引以为戒。秦始皇以推行刑法为快事，致使扶苏受到假传诏书的谋害；汉武帝以四处征伐为快事，到晚年却否定轮台屯田来表示自己的悔恨之心。

人生在世，无论做什么事都想图个痛快。快意于驰马的人，人和马都很疲惫；沉迷于酒色的人，病入膏肓没有良药可医治；快意于说话的人，四匹马都追不上他的错话；喜欢斗殴诉讼的人，往往家破人亡；轻易许诺的人，常常多后悔；应对迅速的人，常常欠思考；喜怒无常的人，没有度量；轻易许诺的人，往往有欺骗别人的嫌疑。与其因一时之快而出现过失，不如慢慢思考以做到谨小慎微。唉，怎么能不忍呢？

忽之忍第五十一

【原文】

勿谓小而弗戒，溃堤者蚁，螫人者虿。

勿谓微而不防，疽根一粟，裂肌腐肠。

患尝消于所慎，祸每生于所忽。与其行赏于焦头烂额，孰若受谏于徙薪曲突。噫，可不忍欤！

【译文】

不要因为事物微不足道而不加以戒备，要知道让大堤最终溃决的是小小的白蚁，能螫人的是小小的蜂蝎。

不要认为事态微小就不防备，要知道恶疮初发时不过米粒般大小，最后却能使肌肉破裂，肠胃腐烂。

隐患常常由于谨慎而消除，祸害总是因疏忽而产生。与其在火灭后奖赏焦头烂额的救火者，还不如在起火前接受改灶移薪的建议。唉，怎么能不忍呢？

疾之忍第五十二

【原文】

六气之淫，是生六疾，慎于未萌，乃真药石。

曾调摄之不谨，致寒暑之为衅。药治之而

反疑，巫眩之而深信，卒陷枉死之愚，自背圣贤之训。

故有病则学乖崖移心之法，未病则守嵇康养生之论。

勿待二竖之膏肓，当恩爱我之疾疢。噫，可不忍欤！

【译文】

阴、阳、风、雨、晦、明这六种气过多就会产生六种疾病，在病还没有萌发以前就谨慎预防，才是真正的治病良药。

如果人们调理衣食不慎重小心，就会导致寒热之气进入体内而生病。有些人不相信医药的治疗效果，反而迷信巫术的作用，最终陷入枉死的愚蠢境地，自然也背弃了圣贤的告诫。

因此有病的时候就应学习张咏转移心性的方法；身体健康时就要谨守嵇康的养生之道。

不要等到病入膏肓后再求医，应当想到别人对我的宠爱也好比危及健康的疾病。唉，怎么能不忍呢！

忤直虐仇之忍

忤之忍第五十三

【原文】

驰马碎宝，醉烧金帛，裴不谴吏，羊不罪客。

司马行酒，曳遐坠地。推床脱帻，谢不瞋系。诉事呼如周，宗周不以讳。是何触触生，姓名俱改避？

盖小之事大多忤，贵之视贱多怒。古之君子，盛德弘度，人有不及，可以情恕。噫，可不忍欤！

【译文】

属下私自骑马并摔碎了宝物，裴行俭没有怪罪；宾客醉酒又误烧船只金帛，羊侃没有怪罪。

司马劝酒，裴遐被拉倒在地，裴遐没有生气。蔡系把谢万推下座位，连帽子头巾都被弄掉了，谢万并不恼怒。告状的人直呼其名“如周”，可宗如周并不避讳。仅为避免讳事，杨彦朗就要改掉石昂的姓氏。

居下位者侍奉居上位者多有冒犯，高贵的人对待卑贱的人往往易发怒。而古代的君子，道德高尚、宽宏大度，对别人不好的地方，常能从情理上宽恕。唉，怎么能不忍呢？

直之忍第五十四

【原文】

晋有伯宗，直言致害；虽有贤妻，不听其戒。

札爱叔向，临别相劝："君子好直，思免于难。"

直哉史鱼，终身如矢。以尸谏君，虽死不死。夫子称之，闻者兴起。

时有污隆，直道不容。曲而如钩，乃得封侯；直而如弦，死于道边。枉道事人，隳名丧节；直道事人，身婴本铁。噫，可不忍欤！

【译文】

晋国的伯宗由于敢于直言遭人诬陷而被杀，虽然有贤德的妻子，却不听她的劝诫。

季札欣赏叔向，临别时劝叔向："你为人处事正直，要注意避免灾祸的降临。"

史鱼一生为人正直，好像箭一样。临死时用自己的身体劝谏君主，实在是虽死犹生。孔子称赞他，知道这事的人，纷纷起而效法史鱼。

道有兴盛也有亏损，而正确的道理和正直的行为很难被人接受。弯曲如钩、世故圆滑的人被封为侯，正直如弦的人则死在道路边。枉屈道义侍奉权贵最终会丧失名节，而以正直的方式为官又往往会身负刑具。唉，怎么能不忍呢？

虐之忍第五十五

【原文】

不教而杀，孔谓之虐。汉唐酷吏，史书其恶。

宁成乳虎，延年屠伯。终破南阳之家，不逃严母之责。

悬悬用刑，不如用恩；孳孳求奸，不如礼贤。

凡尔有官，师法循良。垂芳百世，召杜龚黄。噫，可不忍欤！

【译文】

不教化人就把他杀了，孔子称之为虐。汉唐的酷吏，他们的罪恶被清清楚楚地记录在史书上。

宁成残暴成性被称为“乳虎”，严延年滥用刑杀被称为“屠伯”。前者终于家破人亡，后者不能逃脱母亲的责骂。

与其严惩以刑,不如施恩以教化;与其不懈地追查奸邪,不如礼贤下士。

凡是担任官职的人,都是要效法遵循法度、爱护百姓的忠良之臣。召信臣、杜诗、龚遂、黄霸作为官吏的楷模而流芳百世。唉,能不忍吗!

仇之忍第五十六

【原文】

血气之初,寇仇之根。报冤复仇,自古有闻,不在其身,则在子孙。人生世间,慎勿构冤。小吏辱秀,中书憾潘。谁谓李陆,忠州结欢?

霸陵尉死于禁夜,庾都督夺于鹅炙。一时之忿,异日之祸。

张敞之杀絮舜徒,以五日京兆之忿;安国之释田甲,不念死灰可溺之恨。

莫惨乎深文以致辟,莫难乎以德而报怨。君子长者,宽大乐易,恩仇两忘,人己一致,无林甫夜徙之疑,有廉蔺交欢之喜。噫,可不忍欤!

【译文】

人在年轻时血气方刚,容易种下仇恨的根苗。报仇雪冤的故事,自古以来就不断听说,如果不能报复本人,就报复他的子孙。人生在世,要谨慎从事,不要结下怨仇。潘岳侮辱打骂孙秀后遭孙秀报复。中书吕壹与潘濬结怨而被杀。谁能料到李吉甫和陆贽竟会在忠州释怨结交?

霸陵尉禁止李广犯禁夜行，李广心中生恨，复职后将霸陵尉杀害。庾悦的兵权被剥夺仅仅是因为当初没给刘毅鹅肉吃。一时惹下的怨恨，成为后来的祸患。

张敞杀了絮舜，只是由于絮舜挖苦说他只当了五天的京兆尹；而韩安国释放了田甲，并不因田甲骂他死灰可溺而怨恨。

没有比无端罗织罪名而致人于死地更惨的，没有比以德报怨更难的。真正的君子长者，宽厚大度，平易近人，不计较恩仇，不分彼此，没有李林甫怕人刺杀夜里改换住处的恐惧，而有廉颇、蔺相如捐弃前嫌结为刎颈之交的欣喜。唉，能不忍吗！

妒俭惧变之忍

妒之忍第五十七

【原文】

君子以公义胜私欲，故多爱；小人以私心蔽公道，故多害。多爱，则人之有技若己有之；多害，则人之有技媢疾以恶之。

士人入朝而见嫉，女子入宫而见妒。汉宫兴人彘之悲，唐殿有人猫之惧。

萧绎忌才而药刘遴，隋士忌能而刺颖达。僧虔以拙笔之字而获免，道衡以燕泥之诗而被杀。噫，可不忍欤！

【译文】

君子能用公理克服私欲，因此大多有博爱之心；小人放纵私欲遮蔽公道，因此大多有害人之心。爱人之心多，把别人的技能看做是自己的技能；害人之心多，看见别人有技能就嫉妒厌恶。

不管是否贤明，士人进入朝廷就会遭人嫉恨；不管美丑，女子入宫必然会被人嫉妒。汉宫中有“人彘”那样的悲剧，唐朝宫殿中有对“人猫”的畏惧。

萧绎由于忌妒刘之遴的才能而将他毒死，隋朝儒士因为忌妒孔颖达的才能而派人刺杀他。王僧虔因故意展示自己拙劣的书法作品而免除灾祸，薛道衡因写了“空梁落燕泥”的好诗而被杀掉。唉，怎么能不忍呢？

俭之忍第五十八

【原文】

以俭治身，则无忧；以俭治家，则无求。

人生用物，各有天限。夏涝太多，至秋必旱。

瓦鬲进煮粥，孔子以为厚；平仲祀先人，豚肩不掩豆。季公庾郎，二韭三韭。

脱粟布被，非敢为诈；蒸豆菜菹，勿以为讶。食钱一万，无乃太过？噫，可不忍欤！

【译文】

以俭朴来修身，就不会有忧虑；以俭朴来持家，就不会有奢求。

人生在世所用的物品各有上天规定的限度，就好比夏天雨水太多，必然会出现秋天的干旱一样。

鲁人用瓦鬲煮粥送给孔子，孔子认为这是厚礼；晏婴祭祀先人，猪肩都盖不住筐子。季尚家常只吃腌韭菜和煮韭菜，被称作“二韭”；庾之澄常吃腌韭菜、煮韭菜和生韭菜，被称作“三韭”。

西汉公孙弘吃的是只去掉壳的粗米，盖的是用布做的被子，并非伪装。唐代卢怀慎蒸豆为饭，煮蔬菜为食，也不必讶异。像何曾那样每天吃饭要用掉上万钱，这不是太过分了吗？唉，怎么能不忍呢？

惧之忍第五十九

【原文】

内省不疚，何忧何惧？见理既明，委心变故。

中水舟运，不谄河伯；霹雳破柱，读书自若。

何潜心于《太玄》，乃惊遽而投阁。故当死生患难之际，见平生之所学。噫，可不忍欤！

【译文】

如果自我反省没有感到惭愧的地方，哪里会有什么忧愁和恐惧呢？如果明了事理，那么对于意外事故就能处之泰然。

坐船于河中遇险，韩褐子没有祭拜河伯；雷电劈破了倚靠的柱子，夏侯玄照旧读书。

扬雄是那样地专心于《太玄》，却惊吓得从云禄阁跳了下来。所以只有在生死患难的危急关头，才能显示出一个人平生所真正学到的东西。唉，怎么能不忍呢？

变之忍第六十

【原文】

志不慑者，得于预备；胆易夺者，惊于猝至。

勇者能搏猛兽，遇蜂虿而却走；怒者能破和璧，闻釜破而失色。

桓温一来，坦之手板颠倒；爰有谢安，从容与之谈笑。

郭晞一动，孝德彷徨无措；亦有秀实，单骑入其部伍。

中书失印，裴度端坐；三军山呼，张咏下马。噫，可不忍欤！

【译文】

意志坚定而不轻易动摇的人，得力于事先做了充分的准备；而胆量容易丧失的人，在突然到来的变故面前只能惊慌失措。

有勇之人敢和猛兽搏斗，但碰到蜂蝎之类的毒虫却只能逃跑；愤怒的时候能像蔺相如那样有勇气让自己的头与和氏璧同碎，却在听到锅破的声音时大惊失色。

桓温一来，王坦之吓得连上朝的手板都拿颠倒了；而谢安却能和桓温从容谈笑。

郭晞在军营中一鼓噪，白孝德惊慌得手足无措；而段秀实却能单骑进其军营，捕捉为恶的士兵，并使郭晞谢罪改过。

中书省丢了官印，裴度从容镇定，安坐不动；三军大声起哄高呼，张咏却下马高呼从而镇住了起哄的士兵。唉，怎么能不忍呢？

取与乞求之忍

取之忍第六十一

【原文】

取戒伤廉，有可不可。齐薛馈金，辞受在我。

胡奴之米不入修龄之甑釜，袁毅之丝不充巨源之机杼。计日之俸何惭，暮夜之金必拒。

幼廉不受徐乾金锭之赂，钟意不拜张恢赃物之赐。彦回却求官金饼之袖，张奂绝先零金镰之遗。千古清名，照耀金匮。噫，可不忍欤！

【译文】

孟子说，收取财物要力戒有伤自己的廉洁，有时候可取，有时候不可取。齐国、薛国馈赠黄金，拒绝还是收下取决于我。

陶胡奴的米进不了王修龄的甑釜，山巨源不愿意接受袁毅的丝，领取计日发放的俸禄没有什么让人惭愧的，但别人夜里送来的金子必须像杨震那样拒收。

李幼廉不接受徐乾贿赂的金锭，而依法判处其死刑；钟离意拒绝接受皇帝的赏赐，因为那是张恢的赃物。褚渊拒绝收受想求取官职的人送的黄金，张奂拒绝收取先零酋长黄金和乐器的馈赠。这些人的千古清廉名声，照耀史册。唉，怎么能不忍呢？

与之忍第六十二

【原文】

富视所与，达视所举。不程其义之当否而轻于赐予者，是损金帛于粪土；不择其人之贤不肖而滥于许与者，是委华衮于狐鼠。

《春秋》不与卫人以繁缨，戒假人以名器。孔子周公西之急，而以五秉之与责冉子。噫，可不忍欤！

【译文】

人如果富贵了看他把东西送给什么样的人；如果做了官看他举荐什么样的人。不看是否合乎道义而轻易地赐予，这就如同把金银布帛扔在粪土里；不分清人的贤与不贤而随便举荐官员，这就如同把华贵的衣服给了狐鼠。

《春秋》里不赞同卫国人把繁缨给仲叔于奚作为谢礼，是警戒不要轻易将朝廷的名器送给他人。周济公西出使齐国的急需物品，冉求给了公西之母五秉粟而受到孔子的责备，这是因为孔子知道应该接济不足的人，而不应续有余之人。唉，怎么能不忍呢？

乞之忍第六十三

【原文】

箪食豆羹，不得则死，乞人不屑，恶其蹴尔。晚菘早韭，赤米白盐，取足而已，安贫养恬。巧于钻刺，郭尖李锥，有道之士，耻而不为。

古之君子，有平生不肯道一乞字者；后之君子，诈贫匿富以乞为利者矣。故陆鲁望之歌曰："人间所谓好男子，我见妇人留须眉。奴颜婢膝真乞丐，反以正直为狂痴。"噫，可不忍欤！

【译文】

一竹筒饭、一盘汤，在特别饥饿的时候没有得到就会饿死，但要饭的乞丐不屑接受，是由于厌恶施舍的人是用脚踢过来给他的。

晚秋的菘菜，初春的早韭、红米、白盐，取用刚够就可以了。这样的人是安贫乐道、善于修养心性、恬静生活的人。

巧于投机钻营的人，当推北魏人称"郭尖"的郭景尚和人称"李锥"的李世哲，有修养的人会以钻营为耻辱而不屑那样做。

古代的君子，有的人一生不愿说一个"乞"字；后世的所谓君子，假装贫困，隐匿财富，以向人乞讨来谋利。所以《陆鲁望之歌》说："世上所谓的好男子，我看不过是些留有须眉的妇人。他们奴颜婢膝是真正的乞丐，反过来却把正直的人当做狂妄痴呆。”唉，怎么能不忍呢？

求之忍第六十四

【原文】

人有不足于我乎，求以有济无，其心休休。冯驩弹铗，三求三得。苟非长者，怒盈于色。维昔孟尝，倾心爱客，比饭弗憎，焚券弗责。欲效冯驩之过求，世无孟尝则羞；欲效孟尝之不吝，世无冯驩则倦。羞彼倦此，为义不尽。

偿债安得惠开，给丧谁是元振？噫，可不忍欤！

【译文】

别人没有的东西我有，请求将我多余的周济给没有的人，我这样做了可以安闲自得、心情愉快。冯驩弹铗而歌，三次向孟尝君提出要求，三次都得到满足，如果不是长厚之人一定会怒气溢于颜表。孟尝君诚心尊敬宾客，对冯驩提高待遇的要求并不憎恶，即使冯驩焚烧债券他也没有责备。假如谁要仿效冯驩提出过分的要求，世上若遇不到孟尝君那样的人就只会招致羞辱；如果想要仿效孟尝君的慷慨大度，世上若遇不到冯驩那样的贤士最终只会心灰意冷。一方羞于乞求，一方懒得慷慨，都不能做到仁至义尽。

帮助别人偿还债务，哪有像萧惠开这样大方的人？送钱给人办理丧事，谁能像郭元振那样慷慨？唉，怎么能不忍呢？

利害祸福之忍

利害之忍第六十五

【原文】

利者人之所同嗜，害者人之所同畏。利为害影，岂不知避？

贪小利而忘大害，犹痼疾之难治。鸩酒盈器，好酒者饮之而立死，知饮酒之快意，而不知毒人肠胃；遗金有主，爱金者攫之而被系，知攫金之苟得，而不知受辱于狱吏。

以羊诱虎，虎贪羊而落井；以饵投鱼，鱼贪饵而忘命。

虞公耽于垂棘而昧于假道之诈，夫差豢于西施而忽于为沼之祸。

匕首伏于督亢，贪于地者始皇；毒刃藏于鱼腹，溺于味者吴王。噫，可不忍欤！

【译文】

利是人人都想要的，害是人人都畏惧的。利是害的影子，怎么能不知道回避？

贪图小利而忘却大害，这种毛病就好比得了绝症无法治疗一样。毒酒装满酒杯，好酒的人喝了马上就会死亡，他只知道喝酒的快意，而不知道酒会损坏自己的肠胃；遗失在路上的金子是有主人的，爱金子的人捡起它而被抓，他只知道捡起金子可暂且获利，而不知道将被关进牢狱受到狱吏的羞辱。

如果用羊做饵诱捕老虎，老虎会因贪吃羊而掉进陷阱；如果把鱼饵扔给鱼，鱼会因贪吃鱼饵而忘却自己的性命。

虞公贪图垂棘之地所出的美玉，看不清晋国借道的目的，最终被晋国灭掉；夫差宠爱西施，忽略了沉溺美色的灾难，最终身死国灭。

荆轲之所以能将匕首藏在督亢的地图中而刺杀秦始皇，是因为秦始皇贪图土地；专诸之所以能将毒剑藏在鱼肚子里而刺杀吴王，是因为吴王沉溺于美味佳肴。唉，怎么能不忍呢？

祸福之忍第六十六

【原文】

祸兮福倚，福兮祸伏，鸦鸣鹊噪，易惊愚俗。白犊之怪，兆为盲目，征戍不及，月受官粟。荧惑守心，亦孔之丑，宋公三言，反以为寿。城雀生乌，桑谷生朝，谓祥匪祥，谓妖匪妖。

故君子闻喜不喜，见怪不怪，不崇淫祀之虚费，不信巫觋之狂悖。信巫觋者愚，崇淫祀者败。噫，可不忍欤！

【译文】

灾祸中有福运倚伏，福运中有灾祸潜藏。乌鸦的鸣叫，喜鹊的聒噪，容易惊动愚笨凡俗的人。

黑牛生下白牛的奇怪现象是盲目的征兆，父子二人因此免于服兵役，反而每月可享受官府粮米的救助。

荧惑缠住心星这种不正的天象，是天降灾祸给宋国的预兆，但宋景公三次仁德的回应，反而延长了他的寿命。

商朝帝辛的时候，城里的雀生下了乌鸦，据说是好的征兆却没带来吉祥；武丁的时候，桑和谷在朝堂上生长，传说是凶兆却没有带来什么凶险。

所以君子听到喜事不以为喜，见到奇怪的事物不以为怪，不崇奉不合礼制的祭祀，不听信巫觋的一派胡言。听信巫觋的人愚蠢，崇奉淫祀的人必然败亡。唉，怎么能不忍呢？

不平不满之忍

不平之忍第六十七

【原文】

不平则鸣，物之常性。达人大观，与物不竞。

彼取以均石，与我以锱铢；彼自待以圣，视我以为愚。

同此一类人，厚彼而薄我。我直而彼曲，屈于手高下。人所不能忍，争斗起大祸。我心常淡然，不怨亦不怒。彼强而我弱，强弱必有故；彼盛而我衰，盛衰自有数。

人众则胜天，天定则胜人。世态有炎燠，我心常自春。噫，可不忍欤！

【译文】

处在不平的状态下就发出声音，是物体的常性，也是人的本性。但通情达理的人遇事能够洞察透彻，做到与世无争。

对方得到很多，给我的却非常少；对方以圣人自居，而认为我愚笨。

这些人，厚待自己而轻视我。我为人正直而他内心奸猾，却屈就于地位高的人之下。人如果不能忍受，就会相互争斗引起大祸。我内心保持恬淡，对不平的事不怨也不怒。他强我弱，强弱一定有原因；他兴盛我衰微，盛衰自然有一定的规律。

人可以胜天，而天的意志也可胜过人。世态有炎凉变化，而我的心情却常如春天般温和平静。唉，怎么能不忍呢？

不满之忍第六十八

【原文】

望仓庾而得升斗，愿卿相而得郎官，其志不满，形于辞气。

故亚夫之怏怏，子幼之呜呜，或以下狱，或以族诛。

渊明之赋归，扬雄之解嘲，排难释忿，其乐陶陶。

多得少得，自有定分。一阶一级，造物所靳。宜达而穷者，阴阳为之消长；当与而夺者，鬼神为之典掌。付得失于自然，庶神怡而心旷。噫，可不忍欤！

【译文】

希望得到满仓的谷物，结果只得到斗升；希望能担任卿相一类的高官，结果只做了个郎官。期望与实际相差太大，心中就会有不满情绪，并在言语和表情上表现出来。

所以周亚夫表现出闷闷不乐，被判入狱；杨恽呜呜地唱歌来诉说不平，最终被满门抄斩。

陶渊明作《归去来兮辞》，扬雄作《解嘲文》，以抒发排解心中的烦忧，如此就会自得其乐。

人生在世，得多得少都是上天规定了的；官位一阶一级的升降，也是造物主所主宰的。该显达的反而不得志，该给予的反而被剥夺，这些都是阴阳和鬼神掌管的结果。只有将得失荣辱付之自然，才可能达到心旷神怡的境界。唉，怎么能不忍呢？

听谗苛察之忍

听谗之忍第六十九

【原文】

自古害人莫甚于谗，谓伯夷溷，谓盗跖廉。贾谊吊湘，哀彼屈原，《离骚》、《九歌》，千古悲酸。

亦有周雅，《十月之交》："无罪无辜，谗口嚣嚣。"

大夫伤于谗而赋《巧言》，寺人伤于谗而歌《巷伯》。父听之则孝子为逆，君听之则忠臣为贼，兄弟听之则墙阋，夫妻听之则反目，主人听之则平原之门无留客。噫，可不忍欤！

【译文】

自古以来，没有什么比谗言更能害人的了，谗言可以把清廉的伯夷说成是浑浊的坏人，把大盗盗跖说成是廉洁的高士。贾谊因谗言被逐京任官，在湘江祭吊同样遭小人诬陷的屈原，并感叹屈原的《离骚》和《九歌》，让千百年来读了的人都感到悲戚心酸。

《诗经·小雅·十月之交》篇说："无罪无辜的人受到谗言的诽谤中伤。"

周大夫被谗言所害而作《巧言》，寺人被谗言所害而作《巷伯》。父亲如果听信谗言，就会把孝子当成逆子；君主如果听信谗言，就会把忠臣当作奸贼；兄弟如果听信谗言，就会互相争吵相斗；夫妻如果听信谗言，就会反目为仇；主人如果听信谗言，那么平原君门下的宾客也会离去。唉，怎么能不忍呢？

苛察之忍第七十

【原文】

水太清则无鱼，人太察则无徒。瑾瑜匿瑕，川泽纳污。

其政察察，其民缺缺，老子此言，可以为法。

苛政不亲，烦苦伤恩，虽出鄙语，薛宣上陈。

称柴而爨，数米而炊，擘肌析骨，吹毛求疵，如此用之，亲戚叛之。

古之君子，于有过中求无过，所以天下无怨恶；今之君子，于无过中求有过，使民手足无所措。噫，可不忍欤！

【译文】

水太清澈了就没有鱼生长，人太明察了就会没有伙伴。美玉中藏着瑕疵，江河中容纳着污秽。

为政太苛察，老百姓就会惶恐不安。老子这句话，可以当做治国的箴言。

苛刻的政治不能使人民亲近，太烦琐严厉就会有损朝廷对人民的恩德。此语虽出自日常俗语,薛宣却敢用来上书规劝汉成帝。

称了柴薪然后去烧火,数了米粒再去做饭,劈开肌肉分开骨头,这样过于精细、吹毛求疵地做事,亲戚也会背叛他。

古代的君子,能在别人的过错中找出不错的地方,所以天下人对他们没有什么怨恨;现在的君子,在没有错误的人身上找缺点,结果让老百姓手足无措。唉,怎么能不忍呢?

小节无益之忍

小节之忍第七十一

【原文】

顾大体者，不区区于小节；顾大事者，不屑屑于细故。视大圭者，不察察于微玷；得大木者，不快快于末蠹。以玷弃圭，则天下无全玉；以蠹废材，则天下无全木。苟变干城之将，岂以二卵而见麾？陈平出奇之智，不以盗嫂而见疑。

智伯发愤于庖亡一炙，其身之亡而弗思；邯郸子瞋目于园失一桃，其国之失而不知。

争刀锥之末而致讼者，市人之小器；委四万斤金而不问者，万乘之大志。故相马失之瘦，必不得千里之骥；取士失之贫，则不得百里奚之智。噫，可不忍欤！

【译文】

顾全大局的人，不会斤斤计较；做大事的人，不会在意琐碎小事。欣赏大玉珪的人，决不去察究它的小瑕疵；择选大木材的人，决不为木材尾梢有一点虫蛀而不高兴。如果因为瑕疵而抛弃玉珪，那么天下就不会有完美的美玉；如果因为虫蛀而废弃木材，那么天下就不会有完好的木材。苟变是保卫国家的将才，怎么能因为吃人家两个鸡蛋就罢黜不用？陈平善出奇计，汉高祖不因为传闻说他与嫂子私通而怀疑他。

智伯因为厨师偷了一筐肉而非常愤怒，但对自己即将身亡这样的大事而一无所知；邯郸子因为园中丢失了一个桃子而生气，却连他的国家将要灭亡了都不知道。

为了争夺刀尖那么小的利益而相互争讼的，这是市井百姓的小器量；汉王给陈平四万斤黄金而不过问金子的使用情况，这才可见其夺取天下的大志。所以相马如果认为马瘦不行，就必然得不到千里马；择人因为其贫穷便忽略不用，就无法得到百里奚这样的智士。唉，能不忍吗！

无益之忍第七十二

【原文】

不做无益害有益，不贵异物贱用物。此召公告君之言，万世而不可忽。

酣游废业，奇巧废功，蒲博废财，禽荒废农。凡此无益，实贻困穷。

隋珠和璧，蒟酱筇竹，寒不可衣，饥不可食。凡此异物，不如五谷。

空走桓玄之画舸，徒贮王涯之复壁。噫，可不忍欤！

【译文】

不要做无益的事去损害有益的事，不可因看重奇异的物品而轻视日常用品。这是召公告诫周武王不要玩物丧志的话，万世都不可忽视。

沉溺于游乐就会荒废正业，喜欢奇淫技巧就会浪费功夫，爱好赌钱就会耗费钱财，热衷打猎就会荒废田作。以上种种，都毫无益处，只会带来困窘和贫穷。

隋珠、和氏璧这样的珍宝，蒟酱、筇竹这样的特产，天气寒冷时不能当做衣服穿，饥饿时不能当做食物吃。凡是这些奇异的东西，都比不上五谷实用。

桓玄用画舸载着书画古玩，结果军无斗志，兵败被杀；王涯高价收买字画图书，被杀后它们也只能徒然地在复壁中贮藏。唉，能不忍吗！

随时苟禄之忍

随时之忍第七十三

【原文】

为可为于可为之时，则从；为不可为于不可为之时，则凶。故言行之危逊，视世道之污隆。

老聃过西戎而夷语，夏禹入裸国而解裳。墨子谓乐器为无益而不好，往见荆王而衣锦吹笙。

苟执方而不变，是不达于时宜。贸章甫于椎髻之蛮，炫絅履于跣足之夷，袗絺冰雪，挟纩炎曦，人以至愚而谥之。噫，可不忍欤！

【译文】

在可以做的时候做可以做的事，往往很顺利；在不能做的时候做不能做的事，往往很凶险。所以一个人的言行是正直还是隐忍，要看世道是否清明。

老子到西戎就说夷语，夏禹进入裸国就脱下衣裳。墨子认为乐器没有益处所以憎恶，但他在去拜见荆王时却穿着锦衣吹起了笙。

如果一味抓住死理而不学会变通，这就是不合时宜。到不戴帽子的蛮人那里卖帽子，向赤着双脚的少数民族炫耀自己的好鞋，冰天雪地里穿单衣，烈日炎炎时穿棉衣，人们会将他称为最愚蠢的人。唉，怎么能不忍呢？

苟禄之忍第七十四

【原文】

窃位苟禄，君子所耻。相时而动，可仕则仕。墨子不会朝歌之邑，志士不饮盗泉之水。

析圭儋爵，将荣其身。鸟犹择木，而况于人？

逢萌挂冠于东都，陶亮解印于彭泽，权皋诈死于禄山之荐，费怡漆身于公孙之迫。

携持琬琰，易一羊皮，枉尺直寻，颜厚忸怩。噫，可不忍欤！

【译文】

窃居高位，贪图俸禄，君子会以此为耻。等待时势而行动，适宜做官的时候才做官。墨子不进名叫朝歌的城邑，志士不喝称为盗泉的水。

佩戴圭玉，享受爵禄，这自然能使自身荣耀。但鸟雀尚且选择树木栖息，更何况人呢！

逢萌看到政治昏暗，就解下衣冠挂在东都城门上，辞官隐居；陶渊明不愿为五斗米折腰，就在彭泽自解印绶，返归田园；权皋为躲避安禄山的举荐而假装死去；费怡不愿意被公孙述任用而漆身装疯。

拿着珍贵的玉石换一张羊皮，扭曲一尺的长度去得到一寻的长度。为求取荣华富贵而厚颜无耻，内心也会觉得忸怩不安。唉，怎么能不忍呢？

躁进勇退之忍

躁进之忍第七十五

【原文】

仕进之路，如阶有级，攀援躐等，何必躁急？

远大之器，退然养恬，诏或辞，再命犹待三。趋热者，以不能忍寒；媚灶者，以不能忍谗；逾墙者，以不能忍淫；穿窬者，以不能忍贪。

爵乃天爵，禄乃天禄，可久则久，可速则速。

辇载金帛，奔走形势。食玉炊桂，因鬼见帝。虚梦南柯，于事何济？噫，可不忍欤！

【译文】

仕途上的升迁之路，就像台阶一样一级级的，须一步步攀爬跨越，何必那样急躁冒进？

胸怀远大抱负的人，往往退隐山林来培养恬淡的心性，即使皇上征召也推辞不就，要等待第三次征召才接受。奔向炎热地方的人，是因为不能忍耐寒冷；向灶神献殷勤的人，是由于不能忍受食欲的煎熬；翻墙幽会的人，是因为克制不住自己的情欲；穿墙入室偷盗东西的人，是因为不能克服贪欲。

爵位是上天授予的，俸禄也是上天赏赐的。能胜任官位，就一直做下去；不能胜任，就赶快辞去。

苏秦用车子装载着金银布帛，为合纵抗秦奔走于诸侯之间。吃的东西就好像玉一样昂贵，烧火的柴薪比桂枝的价格还高，通报的人比鬼还难缠，最终见楚王比见到天神还难。苏秦一心想着荣华富贵，这些东西到头来还是好比南柯一梦那么虚幻，又有什么用呢？唉，怎么能不忍呢？

勇退之忍第七十六

【原文】

功成而身退，为天之道；知进而不知退，为乾之亢。验寒暑之候于火中，悟羝羊之悔于大壮。

天人一机，进退一理，当退不退，灾害并至。祖帐东都，二疏可喜；兔死狗烹，何嗟及矣？噫，可不忍欤！

【译文】

功成名就后抽身引退，这符合自然规律；只知道进取而不懂得退守，就会像《乾》卦中的“亢”意指的那样盛极而衰。人在火气盛的时候能验证寒暑交替的征兆，在壮大之时领悟羝羊触藩进退两难的悔恨。

自然界的变化与人事的变化有相同的规律，进与退也是一样的道理，应当引退时不引退，灾难和祸害就同时来了。公卿们在东都门外为疏广、疏受设帐送行，他们功成名就时及时引退得以享尽天年，真是可贺可喜；韩信功成不知身退，结果落得个兔死狗烹的结局，此时嗟叹还来得及吗？唉，怎么能不忍呢？

特立才技之忍

特立之忍第七十七

【原文】

特立独行，士之大节，虽无文王，犹兴豪杰。

不挠不屈，不仰不俯，壁立万仞，中流砥柱。

炙手权门，吾恐炭于朝而冰于昏；借援公侯，吾恐喜则亲而怒则讐。

傅燮不从赵延殷勤之喻，韩棱不随窦宪万岁之呼；袁淑不附于刘湛，僧虔不屈于佃夫；王昕不就移床之役，李绘不供麋角之需。

穷通有时，得失有命。依人则邪，守道则正。修己而天不与者命，守道而人不知者性。

宁为松柏，勿为女萝。女萝失所托而萎恭，松柏傲霜雪而嵯峨。噫，可不忍欤！

【译文】

有自己独特的操守和行为，不随波逐流，是士人应有的重要气节，即使不是处在周文王的理想时代，也能奋发向上成为英雄豪杰。

士人的特立独行体现为不屈不挠，不卑不亢，像万丈绝壁一样挺立,像激流中的石柱一样岿然不动。

炙手可热的权势之家,恐怕早上兴盛而黄昏就可能败亡了;巴结讨好公侯的人,恐怕公侯高兴时会对他们亲近,而一生气时就视为仇人。

傅燮不屈从赵延要他向权贵献殷勤的暗示,韩棱不赞同对窦宪呼喊万岁;袁淑拒绝依附表兄刘湛,王僧虔拒不向中书舍人阮佃夫献金;王昕不做为人移床的仆役之类的事,李绘拒绝供给崔谋索要的麋角鸽翎。

穷困和通达由时机所造,得和失都由命里注定。依附别人就容易走上邪路,谨守道义才能保持正直。自己在道德学问上努力修炼而上天不垂顾,是由于命运;谨守道义而不为人理解,也是天命所定。

宁愿做挺立的松柏,也不愿做依附他物的女萝,女萝失去依托便无法直立,松柏则能高耸着傲霜斗雪。唉,能不忍吗!

才技之忍第七十八

【原文】

露才扬己,器卑识乏。盆括有才,终以见杀。学有余者,虽盈若亏;内不足者,急于人知。不扣不鸣者,黄钟大吕;嚣嚣聒耳者,陶盆瓦釜。

韫藏待价者,千金不售;叫炫市巷者,一钱可贸。大辩若讷,大巧若拙。辽豕贻羞,黔驴易蹶。噫,可不忍欤!

【译文】

过于显露才华来宣扬自己，是器量狭小见识浅薄的表现。盆成括有才气而好显露自己，最终因此被杀。

学问广博的人，虽然渊博却显得好像还不充实；学问欠缺的人，就急于自吹自擂唯恐别人不知道。

黄钟大吕，不敲击它们便不会发出声响；陶盆瓦锅，却总是发出喧嚣嘈杂的声音。

真正的美玉往往被深藏起来，即使出价千金也不会卖；而在市场街巷中叫卖的，一文钱就可以买到。有高超辩论才能的人看起来却好像木讷不会说话，真正聪明的人看起来好像很笨拙。辽东人进献白猪只会感到羞惭，卖弄本领的黔之驴最后因技穷被杀。唉，怎么能不忍呢？

挫折不遇之忍

挫折之忍第七十九

【原文】

不受触者，怒不顾人；不受抑者，忿不顾身。一毫之挫，若挞于市；发上冲冠，岂非壮士？

不以害人，则必自害。不如忍耐，徐观胜败。名誉自屈辱中彰，德量自隐忍中大。黥布负气，拟为汉将，待以踞洗则几欲自杀，优以供帐则大喜过望。功名未见其终，当日已窥其量。噫，可不忍欤！

【译文】

不能忍受别人触犯的人，一发怒就不顾及别人；不能忍受压制的人，愤怒起来就不顾及自身安危。受一点小小的挫折，就好像在市场上被鞭打了一样；像蔺相如那样面对秦王怒发冲冠，难道不是壮士么？

不能忍受挫折，伤害的不是别人，而是自己。不如忍耐下来，慢慢观察胜败的变化。名誉可以在屈辱中彰显，德量可以从隐忍中增大。黥布傲慢自负，本以为会任他为汉将，却见刘邦坐在床上洗脚召见他，气得几乎想自杀；当得知自己和汉王一样享有优厚的待遇时，又大喜过望。尽管当时不能预料黥布将来前程如何,可当日就先了解了他器量的大小。唉,怎么能不忍呢?

不遇之忍第八十

【原文】

子虚一赋,相如遽显;阙下一书,顿荣主偃。

王生布衣,教龚遂而曳祖汉庭;马周白身,代常何而垂绅唐殿。

人生未遇,如求谷于石田;及其当遇,如取果于家园。岂非得失有命,富贵在天?

卞和三献不售,颜驷三朝不遇。何贾谊之抑郁,竟知终于《鹏赋》。噫,可不忍欤!

【译文】

《子虚赋》一作,司马相如马上显达;给皇帝写一封信,主父偃顿时获得荣耀。

平民王生,教龚遂应对皇帝的询问而得到汉朝的官职;平民马周,代替常何上疏而担任唐朝的监察御史。

人生在没有获得机遇时,就好像在石田里寻求谷子;一旦运气降临,就好像在自家的园子里采摘果子。这难道不是得失有命、富贵在天吗?

卞和三次献宝没有成功,颜驷历经三朝未被重用。贾谊是那样的抑郁不得志,竟然作以《鹏赋》为绝笔来表达自己将死的思想。唉,怎么能不忍呢?

同寅背义之忍

同寅之忍第八十一

【原文】

同官为僚，《春秋》所敬；同寅协恭，《虞书》所命。生各天涯，仕为同列，如兄如弟，议论参决。

国尔忘家，公尔忘私，心无贪竞，两无猜疑。言有可否，事有是非，少不如意，矛盾相持。

幕中之辩，人以为叛；台中之评，人以为倾。昌黎此箴，足以劝惩。噫，可不忍欤！

【译文】

在一起做官称为同僚，这是《春秋》所定义了的；同僚之间互相协作互相尊敬，这是《虞书》所要求的。虽然生来天各一方，却有机会同朝做官，就应当情同手足，遇事大家商量解决。

为了国家忘记小家，为了公事忘掉私事，心中没有贪求、竞争的心思，这样互相才没有猜疑。说话有对有错，做事有是有非，如果稍不如意，就会产生矛盾对立。

在幕府中谈论他人好坏，别人会认为你存心不良；御史台中评点人事，别人会认为你有倾轧之心。韩愈的这句箴言，足以劝诫人们。唉，能不忍吗！

背义之忍第八十二

【原文】

古之义士，虽死不避。栾布哭彭，郭亮丧李。

王修葬谭，操嘉其义。晦送杨凭，擢为御史。此其用心，纯乎天理。

后之薄俗，奔走利欲，利在友则卖友，利在国则卖国。回视古人，有何面目？赵岐之遇孙嵩，张俭之逢李笃，非亲非旧，情同骨肉，坚守大义，甘婴重戮。噫，可不忍欤！

【译文】

古代的义士，即使面临死亡也不恐惧逃避。栾布哭祭彭越，郭亮为李固收尸，他们就是这样的义士。

王修埋葬袁谭，曹操嘉奖他的义气；徐晦为杨凭送行，被提升为监察御史。他们的用心，完全合乎天理。

后世世风凉薄，人们只为利欲奔走，为了一己私利，不惜出卖朋友，出卖国家。回头对比古人，那些只知道谋取私利的人还有什么脸面对天下人？赵岐被孙嵩收留，张俭被李笃护送，他们非亲非故，却情同骨肉。孙嵩、李笃坚守大义，甘愿为帮助赵岐、张俭冒被杀的危险。唉，怎么能不忍呢？

事君事师之忍

事君之忍第八十三

【原文】

子路问事君于孔子，孔子教以勿欺而犯。唐有魏征，汉有汲黯。

长君之恶其罪小，逢君之恶其罪大。张禹有靦于帝师之称，李勣何颜于废后之对？

俯拾怒掷之奏札，力救就戮之绯裈。忠不避死，主耳忘身。

一心可以事百君，百心不可以事一君。若景公之有晏子，乃是为社稷之臣。噫，可不忍欤！

【译文】

子路向孔子询问怎样侍奉君主，孔子告诉他不要欺骗君主而要敢于犯颜直谏。唐朝的魏征、汉朝的汲黯都是这样做的。

顺从君主的过失，这是一种小罪；怂恿君主酿成过失，这是大罪。张禹愧对帝师的尊称，李勣在废立皇后一事上又有什么颜面呢？

赵普弯腰拾起皇上发怒掷于地上的奏折；赵绰全力解救由于穿花裤上朝而要被杀的辛亶。他们尽忠而不避死，为君主而忘己身。

晏子说，一心一意可以侍奉一百个君主，三心二意连一个君主都侍奉不了。假若像齐景公那样，有晏婴这样的忠臣，那就有了守卫国家的大臣了。唉，怎么能不忍呢？

事师之忍第八十四

【原文】

父生师教，然后成人。事师之道，同乎事亲。

德公进粥林宗，三呵而不敢怒；定夫立侍伊川，雪深而不敢去。

膏粱子弟，闾阎小儿，或恃父兄世禄之贵，或恃家有百金之资，厉声作色，辄谩其师。弟子之傲如此，其家之败可期。

故张角以走教蔡京之子，此乃忠爱而报之。噫，可不忍欤！

【译文】

父母养育自己，老师教导自己，如此才能成为有用之人。所以说，侍奉老师之道，应与侍奉双亲一样。

德公魏昭献粥给郭林宗，郭林宗三次训斥他，他都不敢发怒；游定夫站立等待程颐，雪下了三尺深都不敢离去。

富贵人家的子弟，一般平民的孩子，或是凭借父兄显贵的地位，或是仰仗着家有百金的富有，对老师厉声作色，动不动谩骂老师。为人弟子骄傲到这种地步，那么他们家的败亡必然不远了。所以张角教蔡京的儿子跑步，这是以忠爱报答蔡京。唉，怎么能不忍呢？

为士为农之忍

为士之忍第八十五

【原文】

峨冠博带而为士，当自拔于凡庸。喜怒笑颦之易动，人已窥其浅中。故临大节而不可夺者，必无偏躁之气；见小利而易售者，生之斗筲之器。

礼义以养其量，学问以充其智。不戚戚于贫贱，不汲汲于富贵，庶可以立天下之大功，成天下之大事。噫，可不忍欤！

【译文】

士人戴着高高的帽子、系着宽大的带子，就应当自觉有别于平庸的俗人。轻易嬉笑怒怨情绪的人，旁人已经窥视到了他狭隘浅薄的内心。因此在生死存亡关头而不丧失气节的人，一定没有褊狭浮躁之气；见一点小利就轻易动摇气节的人，绝对生来只有斗筲那么大的器量。

用礼义来培养自己宽宏的器量，用学问来提升自己的聪明智慧。不因为贫贱而悲戚，也不极力追求富贵，就可以建立宏大的功业，成就天下的大事。唉,怎么能不忍呢?

为农之忍第八十六

【原文】

终岁勤动,仰事俯畜,服田力穑,不避寒燠。

水旱者,造化之不常,良农不因是而辍耕;稼穑者,勤劳之所有,厥子乃不知于父母。

农之家一,而食粟之家六,苟惰农不昏于作劳,则家不给而人不足。噫,可不忍欤!

【译文】

农民一年到头勤劳不已,上是为了赡养父母,下是为了供养妻子儿女,他们努力耕作,播种收获,不避寒暑。

水涝和旱灾是大自然的不正常现象,勤劳的农民并不因此停止耕种;农民收获的庄稼,是辛勤劳动的结果,他们的子孙却不理解父母的辛苦。

从事农作的只有农民,而吃粮食的却有士、农、工、商、释、道六家。如果农民懒惰不辛勤劳作,就既不能供给家中的费用,也无法满足他人的需要。唉,怎么能不忍呢?

为工为商之忍

为工之忍第八十七

【原文】

不善于斫，血指汗颜；巧匠旁观，缩手袖间。

行年七十，老而斫轮，得心应手，虽子不传。

百工居肆以成其事，犹君子学以致其道。学不精则窘于才，工不精则失于巧。

国有尚方之作礼，有冬官之考阶，身宠而家温，贵技高而心小。噫，可不忍欤！

【译文】

不善于使用刀斧的人，手指被砍破并弄得汗流满面；手艺高超的工匠却在一旁袖手旁观。

轮扁年近七十高龄，斫起轮子来却得心应手，这种技艺即使是儿子也继承不了。

各行各业的工匠只有住在店铺中才能学成技艺完成任务，就好比君子只有通过学习才能明白道理一样。学问不精就缺乏才能，技术不精就不够巧妙。

国家有尚方这样的制作场所，有冬官这种官员考核工匠的级别，有的工匠自身受宠而家庭温暖富足，可贵的是自身技术高明而且小心谨慎。唉，能不忍吗！

为商之忍第八十八

【原文】

商者贩商，又曰商量。商贩则懋迁有无，商量则计较短长。

用有缓急，价有低昂。不为折阅不市者，荀子谓之良贾；不与人争买卖之价者，《国策》谓之良商。何必鬻良而杂苦，效鲁人之晨饮其羊？

古之善为货殖者，取人之所舍，缓人之所急，雍容待时，赢利十倍。陶朱氏积金，贩脂卖脯之鼎食，是皆大耐于计筹，不规小利于旦夕。噫，可不忍欤！

【译文】

商人贩卖商品，又称做商量。有商贩就可以做到互通有无，有商量就会计较货物的优劣和价格的高低。

物品的使用有缓有急，物品的价格有高有低。不因为亏本而不做生意，荀子说这样的商人就是好的坐商；不因买卖价格的高低和顾客争吵，《战国策》中称这样的商人就是好的行商。何必要以次充好，效仿鲁国的羊贩子沈犹氏给羊喝水以增加重量？

古代善于经商的人，买来别人所舍弃的东西，卖给人所急需的东西，平静从容地等待时机，以获得巨额的利润。陶朱公积累大量财富，那些贩卖小东西的人成为豪富，都是能耐心筹划，不斤斤计较眼前的蝇头小利。唉，怎么能不忍呢？

父子兄弟之忍

父子之忍第八十九

【原文】

父子之性，出于秉彝。孟子有言，责善则离，贼恩之大，莫甚相夷。

焚廪掩井，瞽太不慈，大孝如舜，齐慄夔夔。

尹信后妻，欲杀伯奇，有口不辩，甘逐放之。

散米数百斛而空其船，施财数千万而罄其库，以郗超、全琮不禀之专，二父胡为不怒？

我见叔世，父子为仇，证罪攘羊，德色借耰。

父而不父，子而不子，有何面目，戴天履地？噫，可不忍欤！

【译文】

父慈子孝是人的天性，也符合伦理。孟子说过，父子之间为求好而互相责备，子女们会因为受到责骂而疏远父亲。所以说对父子恩情伤害最深的，就数父子之间相互责备了。

舜的父亲瞽瞍焚烧仓库，掩埋水井，实在太不仁慈，但舜是非常有孝心的人，仍恭敬地侍奉他。

尹吉甫听信后妻的谗言，要杀儿子伯奇，伯奇也没有辩解，宁愿被逐出家门。

全琮散发数百斛米给城里做官的人而空着船回来，郗超施舍掉千万财物使仓库一空，对他们自作主张的专断行为，两位父亲怎么不发怒呢？

我听说衰乱的时代，父子为仇，父亲偷了羊，儿子居然出来作证；儿子借农具给父亲，还显出有恩于父亲的神色。

如果做父亲的不像做父亲的样子，做儿子的不像做儿子的样子，那么他们还有什么面目在天地间生活呢？唉，怎么能不忍呢？

兄弟之忍第九十

【原文】

兄友弟恭，人之大伦。虽有小忿，不废懿亲。
舜之待象，心无宿怨；庄段弗协，用心交战。
许武割产，为弟成名；薛包分财，荒败自营。
阿奴火攻，伯仁笑受；酗酒杀牛，兄不听嫂。
世降俗薄，交相为恶，不念同乳，阋墙难作。
噫，可不忍欤！

【译文】

兄长友爱，弟弟恭顺，是人重要的伦理准则。兄弟之间即使有小小的不满，也不会丧失骨肉亲情。

舜对待弟弟象亲爱有加，没有任何怨恨留在心中；郑庄公和共叔段两人关系不睦，彼此使用计谋相互争斗。

许武分割家产，自己分得好的是为了让弟弟获取谦让的名声；薛包分家，把荒地和破烂的东西留给自己，仍每每接济耗尽家产的弟弟。

弟弟阿奴将燃烧的蜡烛扔向伯仁，伯仁笑着承受；牛弘的弟弟酗酒杀牛，牛弘不为所动，听了妻子的唠叨后，仍然神色不变。

如今世风日下，人心不古，兄弟之间相互为恶，不顾手足之情，内讧不断。唉！怎么能不忍呢？

夫妇奴婢之忍

夫妇之忍第九十一

【原文】

正家之道，始于夫妇。上承祭祀，下养父母。唯夫义而妇顺，乃起家而裕厚。《诗》有仳离之戒，《易》有反目之悔。

鹿车共挽，桓氏不恃富而凌鲍宣；卖薪行歌，朱妇乃耻贫而弃买臣。

茂弘忍于曹夫人之妒，夷甫忍于郭夫人之悍。不谓两相之贤，有此二妻之叹。噫，可不忍欤！

【译文】

治家的正道，是从夫妇开始的。对上要承担对祖先的祭祀，对下要赡养父母。只有丈夫仁义，妻子恭顺，才能使家庭兴旺、家境富裕。《诗经》中有对夫妻分离的告诫，《易经》中有夫妻反目的悔恨。

桓少君不凭借自己家富而凌辱鲍宣，而是和丈夫共同拉着鹿车探亲访友；朱买臣一边卖柴一边唱歌，他的妻子以他的贫穷为耻离他而去。

王茂弘忍受曹夫人的善妒，王夷甫忍受郭夫人的凶悍，且不论两位丈夫如何贤明，只说这两位妻子有失妇道就令人叹息了。唉，怎么能不忍呢？

奴婢之忍第九十二

【原文】

人有十等，以贱事贵。耕樵为奴，织爨为婢。父母所生，皆有血气，谴督太苛，小人怨詈。

陶公善遇，以嘱其子。阳城不瞋易酒自醉之奴，文烈不谴籴米逃奔之婢。二公之性难齐，元亮之风可继。噫，可不忍欤！

【译文】

人分为十等，卑贱的人侍奉高贵的人。耕田打柴的称为奴，织布做饭的称为婢。他们都是父母所生，同样也是有血气的人，如果对他们太苛刻，就会引来他们的怨恨和咒骂。

陶渊明写信叮嘱儿子要善待仆人。阳城让仆人取米，而仆人却以米换酒喝醉倒在路上，阳城没有对他发怒。房文烈派奴婢出去买米，奴婢却乘机逃走，回来后房文烈没有责备她。陶渊明的风范可以继承，而阳城、房文烈两位的性情与度量难以企及。唉，怎么能不忍呢？

宾主交友之忍

宾主之忍第九十三

【原文】

为主为宾，无骄无谄；以礼始终，相孚肝胆。

小夫量浅，挟财傲客，箪食豆羹，即见颜色。

毛遂为下客，坐于十九人之末而不知为耻；鹏举为贱官，馆于马坊教诸奴子而不以为愧。广阳岂识其文章，平原不拟其成事。

孙丞相延宾而开东阁，郑司农爱客而戒留门。

醉烧列舰，而无怒于羊侃；收债焚券，而无恨于田文。杨政之劝马武，赵壹之哭羊陟。居今之世，此未有闻。噫，可不忍欤！

【译文】

无论是做主人还是做宾客，既不要妄自尊大也不要谄媚逢迎；要始终以礼相待，肝胆相照。

器量狭小的人，倚恃着财富傲视客人；而别人一旦慢待自己，他们就马上就变了脸色。

毛遂是下等门客，排在使楚团十九人之后，却不因此而感到耻辱；温鹏举为贱官，在马坊中教书，而并不因此感到羞愧。如果温鹏举不写那篇碑文，广阳王怎么会知道他是一个大才子呢！平原君如果不用毛遂，那么他能完成拯救赵国的大业吗！

丞相公孙弘开辟东阁房用来宴请宾客；司农郑庄好客，吩咐门人不分贵贱都要留住客人。

客人张儒才喝醉酒烧毁许多船只，羊侃没有生气；冯驩收债把债券全部烧掉，孟尝君没去怪罪他；杨政曾严厉责备马武，而马武却与他交了朋友；赵壹恃才倨傲而羊陟极力举荐他。这些宾主之间以礼相待、坦荡相交的事，如今很难听到了。唉，怎么能不忍呢？

交友之忍第九十四

【原文】

古交如真金百炼而不改其色，今交如暴流盈涸而不保朝夕。

管鲍之知，穷达不移；范张之谊，生死不弃。

淡全甘坏，先哲所戒；势贿谈量，易燠易凉。盖君子之交，慎终如始；小人之交，其名为市。

郈子迎谷臣之妻子，至于分宅；到溉视西华之兄弟，胡心不恻？指天誓不相负，反眼若不相识。噫，可不忍欤！

【译文】

古人交友就好像真金，百炼都不改变其本色；今人交友就像暴雨后的小水沟，马上干涸而不能长久。

管仲和鲍叔牙的知己之交，不管是穷困还是显达都不曾改变；范式和张劭的友谊，无论是活着还是死后都没有离弃。

先哲告诫说，君子之交清淡而能保全，小人之交甘甜而易毁坏。因权势、贿赂、谈论相宜、互相予求而结交，容易火热起来也容易冷却下去。君子交友，慎始慎终；小人交友，好像在市场上进行交易，生意做完了，友情也完了。

郈成子将死去的友人谷臣的妻子儿女接到自己家里，分出房子让他们居住；到溉看到故友任昉的儿子们流离失所，却为什么没有丝毫的怜悯恻隐之心？

那些势利的人相交时指天发誓绝不相负，一转眼间却好像不曾相识。唉，怎么能不忍呢？

年少好学之忍

年少之忍第九十五

【原文】

人之少年，譬如阳春，莺花明媚，不过九旬，夏热秋凄，如环斯循。人寿几何，自轻身命？贪酒好色，博弈驰骋；狎侮老成，党邪疾正；弃掷诗书，教之不听。玄鬓易白，红颜早衰；老之将至，时不再来；不学无术，悔何及哉！噫，可不忍欤！

【译文】

人的少年时期，就像是春天，莺啼花妍春光明媚，但转瞬即逝，时间不过三个月。然后是炎热的夏天，凄凉的秋天，如此循环往复。人的寿命又有多长呢，怎么能轻贱自己的生命？贪酒好色，赌博跑马；侮辱老实人，和邪恶的人结党拉派，嫉恨正直的人；不读圣贤之书，也听不进别人的教诲。一旦黑发变白，红颜消退，老年到来，过去的好时光一去不返，而自己既无知识也无技能，这时才后悔，哪里还来得及呢！唉，怎么能不忍呢？

好学之忍第九十六

【原文】

立身百行，以学为基。古之学者，一忍自持。

凿壁偷光，聚萤作囊，忍贫读书，车胤匡衡。

耕锄昼佣，牛衣夜织，忍苦向学，倪宽刘寔。

以锥刺股者，苏秦之忍痛；系狱受经者，黄霸之忍辱。

宁越忍劳于十五年之昼夜，仲淹忍饥于一盆之粟粥。

及乎学成于身，而达乎天子之庭。鸣玉曳祖，为公为卿。为前圣继绝学，为斯世开太平。功名垂于竹帛，姓字著于丹青。噫，可不忍欤！

【译文】

无论从事何种职业，都要以学习作为基础。古代有学问的人，都要忍受困苦，严格要求自己。

匡衡凿壁偷光，借洞中透出的光读书。车胤把萤火虫放在纱袋中，借萤烛的光学习。他们都忍受着贫困坚持读书。

倪宽替人耕种，休息时就读书。刘寔编织牛衣营生，一边放牛一边学习。他们都忍受贫苦勤奋求学。

苏秦用锥子刺自己的大腿，忍痛发奋读书；黄霸关在监狱里，忍受侮辱，拜师学习经书。

宁越忍受十五年的辛劳，范仲淹忍受每日只能喝一盆玉米粥的饥饿。

等到他们学问已成，就可以成为朝廷官员。身佩珍贵的玉器和绶带，担任公卿之类的职务，为前代的圣人继承绝学，为今世的太平贡献才智。他们的功名载入史书，名字流传千古。唉，怎么能不忍呢？

将帅宰相之忍

将帅之忍第九十七

【原文】

阃外之事，将军主之；专制轻敌，亦不敢违。卫青不斩裨将而归之天子，亚夫不出轻战而深沟高垒。军中不以为弱，公论亦称其美。

延寿陈汤，兴师矫制，手斩郅支，威震万里。功赏未行，下狱几死。

自古为将，贵于持重；两军对阵，戒于轻动。故司马懿忍于妇帻之遗，而犹有死诸葛之恐；孟明视忍于崤陵之败，而终致穆公之三用。噫，可不忍欤！

【译文】

军中的事情，由将帅做主；即使将帅独断专行轻视敌人，部下也不能违抗命令。卫青不杀失职的裨将而交给天子处理，周亚夫不轻易出战而是深挖沟壕高筑堡垒。军中将士并不认为他们软弱胆小，相反，人们都称赞他们的用兵之道。

甘延寿和陈汤假托皇帝之命发兵攻打匈奴，杀了郅支单于，威名震动万里。还没有论功行赏，他们就被捕入狱差点死掉。

自古担任将帅的，最可贵的是稳重；两军对垒，千万不能轻举妄动。司马懿能忍受诸葛亮送给他妇人衣物的羞辱，但还是对死了的诸葛亮心怀恐惧；孟明视能忍受两次崤陵之战的惨败，而最终还是被秦穆公三次重用，终于打败晋国。唉，怎么能不忍呢？

宰相之忍第九十八

【原文】

昔人有言，能鼻吸三斗醇醋，乃可以为宰相。盖任大用者存乎才，为大臣者存乎量。丙吉不罪于醉污车茵，安世不诘于郎溺殿上。

周公忍召公之不悦，仁杰受师德之包容，彦博不以弹灯笼锦而衔唐介，王旦不以罪倒用印而仇寇公。廊庙倚为镇重，身命可以令终。噫，可不忍欤！

【译文】

古人曾说过，能够用鼻子吸进三斗醇醋的人，就可以担任宰相了。

大概能担当重任的人靠的是出众的才能，而做大臣的人靠的是恢弘的器量。丙吉不怪罪驾车的马夫呕吐弄脏了车垫，张安世没有责怪喝醉后在殿上小便的郎官。

周公忍受了召公对他的不满，狄仁杰受到娄师德的包容举荐；文彦博并没有因为唐介弹劾他做灯笼锦被免去丞相而记恨他；王旦不因为寇准开除倒用印的官员而对寇准进行报复。国家把这样的人倚为栋梁，而自身也可以得到善终。唉，怎么能不忍呢？

顽嚣屠杀之忍

顽嚣之忍第九十九

【原文】

心不则德义之经曰顽，口不道忠信之言曰嚣。顽嚣不友，是为凶人，其名浑敦，恶物丑类，宜投四裔，以御魑魅。唐虞之时，其民淳，书此以为戒；秦汉之下，其俗浇，习此不为怪。

盖凶人之性难以义制。其吠噬也，似犬而狾；其抵触也，如牛而角。待之以恕则乱，论之以理则叛，示之以弱则侮，怀之以恩则玩。当以禽兽而视之，不与之斗智角力，待其自陷于刑戮，若烟灭而爝息。我则行老子守柔之道，持颜子不较之德。噫，可不忍欤！

【译文】

内心不效法道德仁义的行为叫做“顽”，口里不说忠信的话叫做“嚣”。顽嚣不友善的人，就是恶人，这类被叫做“浑敦”一般的恶物丑类，应当流放到四方边境去用来抵御妖魔鬼怪。唐虞时代，民风淳厚，记下这些作为警戒；秦汉之后，民风浇薄，就习以为常不觉奇怪。

大概生来愚顽不化的人很难用道义去制服。他们会像狂犬一般咬人，疯牛一样撞人。用宽恕的态度对待他们就会导致祸乱，给他们讲道理反而更加悖乱，向他们示弱他们就会欺侮人，用恩德感化他们就会轻视你。应当把他们看做禽兽，不和他们斗智斗力，等待他们自己陷进刑罚中，好像烟消云散一样。与这样的人相处，要按老子的柔弱之术行事，并保持颜子不计较的德行。唉，怎么能不忍呢？

屠杀之忍第一百

【原文】

物之具形色、能饮食者，均有识知。其生也乐，其死也悲。

鸟俯而啄，仰而四顾，一弹飞来，应手而扑。

牛舐其犊，爱深母子，牵就庖厨，觳觫畏死。

蓬莱谢恩之雀，白玉四环；汉川报德之蛇，明珠一寸。勿谓羽鳞之微，生不知恩，死不知怨。

仁人君子，折旋蚁封，彼虽至微，惜命一同。

伤猿，细故也，而部伍被黜于桓温；放麑，违命也，而西巴见赏于孟孙。

胡为朝割而暮烹，重口腹而轻物命？礼有无故不杀之戒，轲书有闻声不忍食之警。噫，可不忍欤！

【译文】

具有形体颜色、能够吃喝的生物，都是有知觉的。它们活着的时候就很快乐，死的时候就很伤悲。

小鸟俯身啄食，抬起头四面张望，一颗弹丸飞来，立即扑倒下去。

母牛舔着它的小牛犊，母子情深。如果把牛牵到厨房宰杀，牛犊就会颤抖着显现出恐惧的样子。

蓬莱谢恩的黄雀，衔来四只白玉环，给救它的恩人杨宝；汉川报恩的蛇，含来直径一寸的宝珠给救过它的隋侯。不要认为鸟兽这样的小动物，活着不知别人给它的恩德，死了不知报怨。

仁慈的君子，在骑马时碰到蚂蚁窝就绕开，它们虽然微不足道，但它们也像人一样珍爱自己的生命。

伤害猿猴，本来是细小的过错，但是桓温却开除了他的部下；放跑麂子，是违抗命令，而秦西巴却因此受到孟孙赏识。

为什么要早晨屠宰而晚上烹食，看重自己的口腹之欲而轻视动物的性命呢？《礼记》中有没有理由就不能杀生的戒律，孟子的书中有听到动物的哀号声而不忍心吃其肉的告诫。唉，怎么能不忍呢？